이 일을
어찌할꼬!

이 일을 어찌할꼬!

인쇄	2017년 7월 3일 초판 1쇄 인쇄
발행	2017년 7월 7일 초판 1쇄 발행
발행인	정인성
총기획 및 관리	원불교 문화사회부
작가	이윤택
펴낸이	주영삼
책임편집	천지은, 정명선, 권혜미
디자인	노운, 김지혜
펴낸곳	원불교출판사
인쇄	원광사
출판신고	1980년 4월 25일(제1980-000001호)
주소	전라북도 익산시 익산대로 501
전화	063)854-0784
팩스	063)852-0784

www.wonbook.co.kr

값 10,000원

ISBN 978-89-8076-299-6(03680)

이 책은 2017년 문화체육관광부의 후원으로 발간되었음.
이 책의 저작권은 원불교 문화사회부에 있습니다.
저자와의 협의에 의하여 인지는 붙이지 않습니다.

원 불 교 ○ 서 사 劇

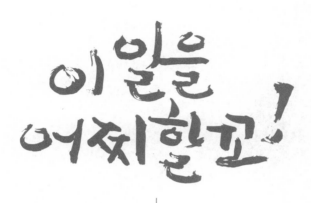

난세를 가로질러 간 성자

○

소태산 박중빈

이윤택 作

WON BOOK 원불교출판사 | 원불교 문화사회부

차례

한은숙 교무
원불교 교정원장

난세를 가로 질러 간 성자
세계인의 성자로…

6월이 오면 짙어가는 녹음만큼 사무치게 보고 싶은 그리움이 밀려옵니다.
올해는 개벽의 성자로 이 땅에 오신 소태산 대종사께서 열반하신지 74주기가 되는 해
입니다. 추모의 달 6월을 맞아 소태산 대종사 일대기 〈이 일을 어찌할꼬!〉를 창작극으
로 만나게 된 것을 참으로 기쁘게 생각합니다.

지난 해 우리는 '원불교100주년기념대회'를 대한민국 수도 서울에서 전세계 교도들이
원불교의 지나온 100년을 성찰하고, 결복기 교운을 힘차게 열어가고 미래를 다짐하는
소중한 시간을 가졌습니다. 그리고 이제 원불교 2세기를 맞이하여 우리들만의 대종사,
우리들만의 원불교에서 벗어나 사회와 세계인류가 소통하고 함께 해야 함을 절실하게
느꼈습니다.

원불교 100주년을 앞두고 선보였던 이철수 화백의 〈대종경 판화전〉과 김형수 작가의
『소태산 평전』은 원불교를 우리 사회에 널리 알리고 대중화하는 역할을 했습니다. 이번
에 연극으로 제작된 원불교 서사극 〈이 일을 어찌할꼬!〉는 문화연극계의 거장이신 이
윤택 연출가께서 대본과 연출을 맡아 주셨습니다. 이윤택 연출가는 부산교구 대신교당
학생회 활동을 하신 교도님으로서 소태산 대종사의 삶을 인류보편적 삶의 철학으로 승
화시키고 원불교 정신과 문화의 깊이를 더할 수 있도록 합력해 주심에 그 의의가 더욱
크고 더불어 깊은 감사의 마음을 전합니다.

이번 연극을 통해 일제 강점기라는 암울했던 역사적 상황 속에서 구도하시고, 대각하시고, 전법하셨던 소태산 대종사의 인간적인 고뇌와 교리실천의 삶을 가장 일반적이고 가장 보편적인 시각에서 보고 느낄 수 있는 계기가 되길 바랍니다. 또한 원불교 개교 표어인 "물질이 개벽되니 정신을 개벽하자"고 하신 소태산 대종사의 가르침을 지금 이 시대를 살아가는 우리들이 어떻게 적용하고 실천해 나갈 것인가에 대한 해답을 찾아가시길 바랍니다.

원불교 서사극 〈이 일을 어찌할꼬!〉를 통해 소태산 대종사를 세상에 드러내 주시고 만나게 해주신 법연 깊은 이윤택 연출가와 질 높은 공연을 위해 힘써 주신 연희단거리패 단원들께 진심으로 감사드립니다. 소중한 인연입니다.

정인성 교무
원불교 문화사회부장

원불교 개교 100주년이 지나가고 어느덧 원기 102년입니다. 100년의 역사에 2년이란 세월이 더 보태진 것입니다. 우리 문화사회부는 원기 101년에 『소태산 평전』(김형수 지음, 문학동네 발간)을 출간하였고, 올해 원기 102년에는 원불교 서사극 〈이 일을 어찌할꼬!〉(이윤택 연출)을 무대에 올렸습니다. 원불교 문화의 역사에 참으로 뜻깊은 지난 2년이 되지 않았나 싶습니다.

대종사님 당대의 생애를 언어로 되살려 낸 것이 『소태산 평전』이고, 배우들의 연기와 몸짓으로 되살려낸 것이 〈이 일을 어찌할꼬!〉입니다. 특히 지난 6월 4일에 국립극장에서 초연을 한 〈이 일을 어찌할꼬!〉는 언어 바깥에 존재하는 감동을 온몸으로 전해 주었습니다.

그동안 우리는 빛바랜 사진으로 또는 선진님들의 말씀을 통해 대종사님의 모습을 떠올려야 했습니다. 대종사님을 향한 간절한 기도와 외침에도 늘 가슴 속 한 편에 채워지지 않은 그리움이 있어 그저 애달프기만 했습니다. 이러한 그리움이 올해는 조금은 채워진 것 같습니다. '소태산 박중빈 대종사'의 일대기를 그린 서사극을 통하여 스승님을 만날 수 있었기 때문입니다.

지난해 원불교는 개교100주년을 맞이하였습니다. 원불교 문화예술 활성화에 대한 관심이 커질 무렵 다양한 분들과 인연을 맺게 되었고, 특히 원불교와 인연이 있었던 한국 연극계의 거장이신 이윤택 연출가님을 만났습니다.

수십 년 전 부산에서 까까머리 고등학생시절 원불교 교당에 드나들던 그 추억과 호타원 황영규 교무님과의 오랜 인연과 깊은 신앙이 오늘의 소태산 대종사 창작극으로 탄생하게 되었습니다. 이윤택 연출가는 수많은 작품을 무대에 올린 한국 연극의 살아 있는 신화입니다. 그는 바쁜 활동 속에서 '소태산 박중빈 대종사'의 일대기를 그린 작품을 만들기 위해 원불교 익산성지를 방문하여 경산 장응철 종법사님을 뵙고, 원불교의 근원성지인 영산성지에 머물며 당시의 고증과 사유를 통해 대본을 탈고하였습니다. 단순히 한 인물에 대한 고찰을 넘어 성자의 삶을 조명한다는 것은 매우 큰 부담이었을 것입니다.

그럼에도 불구하고 평범함 속에서 비범한 인생을 산 소태산 대종사님의 모습을 남도 특유의 해학과 신명으로 담아주셨으며, 진실로 인간적인 성자의 모습을 극으로 연출해주었습니다. 참으로 기쁘고 감사한 일이 아닐 수 없습니다. 이번 대본집 발간으로 원불교의 문화교화를 위해 교당에서 어린이·청소년·일반 교화에 다양하게 활용되기를 기대합니다.

문화는 기억이나 기록이 아니라 언제나 '현하'의 일입니다. 〈이 일을 어찌할꼬!〉를 세상에 탄생시킨 이윤택 연출가, 무대에서 신명나는 연기를 펼쳐준 연희단거리패 단원들 모두의 노고에 뜨거운 박수와 감사의 말씀을 전합니다. 이번에 발간되는 〈이 일을 어찌할꼬!〉의 대본이 수많은 연극을 낳았으면 좋겠습니다. 감사합니다.

박양서
원불교 문화사업회 회장

원각성존(圓覺聖尊) 소태산 박중빈 대종사의 일대기를 극화한 연극 〈이 일을 어찌할 꼬!〉의 감동이 아직 기억에 새롭습니다. 성공적인 서울공연을 마치고 지방 순회공연을 시작한 가운데 그 대본집을 출간한다니 그 의의가 자못 크다 하겠습니다.

우주만유의 성리에 의심을 품었던 소년 진섭으로부터 구도에 20여 년간 몸과 마음을 바친 처화 거사, 긴 세월 끝에 득도 하시고 그후 28 성상 전법과 창생제도에 몰두하신 후 원불교의 대종사님으로써 열반에 드실때까지, 이땅에 오시어 사람으로 살다가신 소태산 박중빈의 일생은 하루 하루가 다 난세의 풍랑 한 가운데를 헤쳐가신 드라마라 할 수 있습니다.

소태산의 일생을 연극을 통해 대중에게 다가가는 것은 음악이나 미술과는 또 다르게 추상적이 아닌 그 언행을 직접 전달한다는 점에서 그 전달의 위력이 심히 크다고 하겠습니다.

우리 문화예술계의 거목이신 이윤택 연출의 경륜에 깊은 신심이 합하여진 이 연극과 대본집을 통해, 대종사님의 모습과 말씀에서 받은 감동은 오래도록 보존되고 발전하며 생생히 전달 될 것이라고 믿습니다.

공연에 이어 대본집을 기획하고 출간에 이르도록 수고하신 교정원과 문화사회부의 모든 분들께 감사의 말씀드립니다.

이윤택
극작가, 연출가

지금 이곳 동시대의 화두
이 일을 어찌할꼬!

지금 이곳에서 여전히 통용되는 동시대의 화두로 '이 일을 어찌라꼬!' 로 느낌표를 찍었습니다.

이 일을 어찌할꼬? 물음표를 내건다면, 오는 세상에 대해 어쩐지 불안하고 미심쩍은 느낌이 들것 같아서, 좀 더 적극적이고 확신에 찬 의지를 가지고 새로운 세상을 맞이하려 합니다.

앞으로 오는 세상을 우리는 어떤 마음가짐으로 맞이해야 할까요?

이 물음에 대해서는 지금부터 이미 오래전 1935년, 소태산 대종사께서 하신 말씀으로 답변을 대신하겠습니다. 80년도 더 전에 하신 말씀인데, 지금 이곳에서도 여전히 통용되는 동시대의 화두라고 생각합니다.

> 근래 어떤 사람들은, 이 세상이 말세가 되어 영영 파멸밖에는 길이 없다고 하는 모양이나 나는 그렇지 않다고 말해요. 성인의 자취가 끊어진 지 오래고 정의와 도덕이 희미하여 졌응게 말세란 말도 맞기는 하나 이 세상이 이대로 파멸되지는 않을 것이오. 아니, 돌아오는 세상이야말로 참으로 크게 문명한 도덕세계일 것이오. 그러므로 지금은 묵은 세상의 끝이요 새 세상의 처음이 되야 범상한 사람으로서는 시대의 앞길을 추측하기가 퍽 어려울 것이나, 오는 세상의 문명을 내다보는 사람으로서야 어찌 든든하지 않겠소?
>
> 지금은 물질문명이 세계를 지배하고 있지마는, 오는 세상에는 위없는 도덕이 굉장

히 발전되어 인류의 정신을 문명케 하고 물질문명을 지배할 것이오. 물질문명은 인간을 타락시키고 도덕 발전에 장애가 되는 것이 아니라 오히려 도덕 발전에 도움이 될 것이니, 멀지 않은 장래에 물질문명과 도덕문명이 함께하는 참 문명세계를 보게 될 것잉게 바로 이를 일러 미륵세계라 하는 것이오

(1935년 4월 27일 익산총부 대각전 준공식에서)

원래 종교와 연극은 한 몸이었습니다. 서구의 디오니소스 축제가 그렇고, 부여의 영고, 고구려의 동맹 같은 제천의식이 종교였고 정치였고 축제였다고 봅니다. 그래서 이번 저의 작업은 원래 한 몸이었던 종교와 연극을 다시 만나게 하려는 것이었습니다.

원불교는 가장 한국적인 민족 종교이기에 가능한 한국적인 정서와 신명이 깃든 공연양식으로 표현하려 했습니다. 그리하여, 시민대중에게 좀 더 친밀하고 구체적인 감동으로 떠 오르는 소태산 대종사의 모습을 그리고 싶었습니다. 난세를 온몸으로 가로 질러 간 '인간적인 진실로 인간적인' 성자 말입니다.

최우정
음악감독, 작곡

TIMF 앙상블 예술감독 / 서울대학교 음악대학 작곡과 교수 / 수상 동아
콩쿨 작곡 부문 1위(1989) / Gaudeamus 국제작곡콩쿠르 입선 및 작품
발표(1996) / ISCM 세계음악제 입선 및 작품 발표(1999) / 〈달이 물로 걸
어오듯〉〈더 코러스:오이디푸스〉〈궁리〉 등

이 작품의 음악은 크게 세 종류로 구분되는데, 이는 작품의 주인공이 처화, 박중빈, 소
태산, 이렇게 세 이름으로 나타나는 구성에 따른 것입니다. 첫 번째로는 주인공의 일생
을 상징하는 음악으로서 주로 가야금을 동반한 민요, 가곡, 판소리 등으로 되어 있습니
다. 두 번째 음악은 현실 상황 속에서의 종교의 창시와 관련된 음악으로서 피아노, 오케
스트라 등을 사용한 서양음악입니다. 세 번째 음악은 깨달음, 원형, 본질 등을 상징하는
음악으로서 이 작품의 근간이 되는 음악이며, 서양의 오케스트라와 동양의 전통악기,
사람의 목소리를 아우르는 조화를 추구하고 있습니다.

전체적으로 음악은 미니멀리즘 양식을 취하고 있는데, 단순하고 소박한 소재를 사용하
여 다양한 표현과 깊은 정서를 만들어낸다는 점에서 원불교가 추구하는 지점과 일맥상
통한다고 생각됩니다.

황승경

가창지도

공연예술학 박사 / 국제오페라단 단장 / 서울대 치학연구소 연구원
한국연극 편집위원 / 안데르센, 파가로 베이커리 외 다수

종교음악의
공간적 상상력

이번 원불교 서사극 〈이 일을 어찌할꼬!〉 작품 속에 심층적으로 녹아있는 연출가 이윤택 선생님의 종교음악에 대한 심오한 기법들은 개인적으로 저에게는 압도적인 울림이 되어 강하게 다가왔습니다. 종교음악에 관해 저는 과거 창피한 아쉬움으로 기억의 저편에 꼭꼭 숨겨놓고 애써 외면했던 추상적 파편들이 있었습니다. 그런데 이는 이번 작품에 음악 스텝으로 참여하면서 명확한 연출적 음악 의도 덕분에 구조적으로 형상화될 수 있었습니다.

이탈리아 유학시절, 음악원 교수님의 추천으로 판테온 성당에서 미사 솔리스트가 될 기회가 있었습니다. 고대 로마의 역사적인 건축이자 이탈리아 르네상스를 호령한 위인들이 잠들어 있다는 상당한 의미가 있는 장소이기에 당연히 당시의 저는 밤잠을 못 이룰 만큼 떨리고 설레어서 밤을 하얗게 지새웠습니다.
오디션 당일, 저는 평소보다 아름답고 충만하게 불렀습니다. 그러나 바티칸 종교음악 주임신부님의 인자하신 표정은 저의 노래가 진행될수록 점점 어둡게만 변해갔습니다. 저명한 마테오 신부님은 나의 노래를 듣자마자 의식적인 언어를 노래하는 종교음악은 세속적인 일상 대화가 아니라 관념적인 정적의 세계로의 정화를 노래하는 것이라고 단호히 말씀하셨습니다. 그러시고는 음악으로 공간의 이미지를 절묘하고 명료하게 나타내는 종교 미학적 상징을 강조하셨습니다. 물론 당시의 내공으로는 속뜻을 되새기기보다는 좋은 기회를 놓쳐버린 마음에 안타깝기만 했습니다.

이후 바로 해고시키기는 그러셨는지 몇 번의 작은 종교행사에 부르셨고 신부님과의 인연은 계속되며 종교음악에 대한 다양한 조언을 얻을 수 있었지만 옹졸해서인지 귓속에만 머물 뿐 가슴으로 내려오지 않았습니다. 그러나 고인이 되신 마테오 신부님의 말씀은 20여 년이 흐르고 시공을 초월한 지금, 연출가 이윤택 선생님의 너무나 일치되는 작품적 음악 해석을 통해 고스란히 저의 가슴과 머릿속에 투영될 수 있었습니다. 두 분은 만난 적뿐만 아니라 교류가 전혀 없었는데 어떻게 이렇게 똑같은 의미의 단어로 설명하시는지 놀라울 따름이었습니다.

미켈란젤로, 라파엘로, 보티첼리 등 내놓으라고 하는 르네상스시대의 예술가들의 숨결이 있는 시스티나 소성당은 벽에 화려하게 장식된 천지창조를 비롯한 12,000점의 문화재를 보호하기 위해 사진조차 찍을 수 없고 대화도 크게 떠들 수 없습니다. 그런데 왜 미사 중에 부르는 노래의 음파가 수려하게 벽을 감싼 프레스코화에 어떠한 방해를 가하지 않는지, 신부님은 그 이유를 물으신 적이 있습니다. 저는 딱히 대답이 떠오르지 않아, 숭고하고 장엄한 장소라서 그렇지 않겠냐고 얼버무렸지요. 종교음악이라서 그렇다고 말씀하셨습니다. 그리고는 타종교일지라도 인간의 의식을 일상에서 성스러운 사색의 내면세계로 이동시키는 제대로 된, 관조적, 정관(靜觀)적 종교음악이라면 모두 가능할 것이라고 덧붙이셨습니다. 물론 과학적인 입증은 없습니다. 그때의 신부님이 그렇게 누누이 강조하시며 말씀하신 종교음악의 근본적인 소리를 저는 이 작품의 음악적 연출의도를 통해서 이제야 비로소 이해합니다. 그것은 인간의 영혼이 수평적인 상태에서 수직적으로 태동할 수 있는 성스러운 공간적 상상력을 전달하는 소리였던 것입니다.

물론 이 작품에는 한국 정서를 가장 잘 표출시킬 수 있는 다양한 전통적, 현대적 음악들이 강력하고 아름답게 중층적, 유기적으로 교차하고 있습니다. 어둠의 영혼조차 빛의 영혼으로 변화시킨 소태산 대종사의 일대기를 다루며 정교하고 관념적인 사유가 음악의 서사 안에 내재되어 있습니다. 또한 풀리지 않던 저의 오랜 숙제였던 '노래를 하되 말이 되어야 하고 말을 하되 노래가 되어야 하는' 연극에서 한국어 가창 발음의 음성학적 불편함을 해결할 방법도 같은 맥락에서 발견할 수 있었습니다. 세상에 나아가 인간이 개입하는 세상에서 진리를 찾으셨던 대종사님을 그리는 연극 작품을 통해 미약한 저는 이렇게 의미 있는 음악적 진리를 얻을 수 있었습니다.

시놉시스

소태산 대종사의 생애를 십상,
10개의 장면으로 구성한다.

1막

1장. 관천기의상 우주 자연의 운행과 삶과 죽음에 대한 소년 진섭의 의문은 결국 나는 누구인가? 라는 화두를 세운다.

2장. 삼령기원상 산신을 만나려고 천일기도를 해도 산신은 나타나지 않는다.

3장. 구사고행상 결혼을 하고 장사를 하고 빚을 갚으러 고기잡이배를 타는 고행을 하면서도 청년 처화는 세상을 구원할 도사를 찾아 헤맨다. 그러나 도사는 없다는 생각에 이르자 스스로 도사가 되리라 마음먹는다.

4장. 강변입정상 바랭이네의 헌신적인 도움을 받으며 수행에 들어간 장촌양반은 엄청난 육신의 고통을 극복해 내고 대각의 시간을 맞이한다.

2막

5장. 장항대각상 최초의 게송 '청풍월상시 만상자연명'을 짓고, 이씨제각에서 대도회상 법문을 연다.

6장. 영산방언상 조합을 결성하고 갯벌을 막아 새로운 땅 정관평을 얻는다.

7장. 혈인법인상 3·1 만세 운동이 일어나지만, 거사에 참여하지 않고 산천기도와 목숨 희생의 백지 혈인을 통해 사무여한의 결의를 다진다.

8장. 봉래제법상 소태산 박중빈의 행적은 영광에서 익산 전주 서울로 확대되면서 남성뿐만 아니라 여성 제자들도 받아들이고, 기독교 장로까지 제자로 삼는다. 그러나 수행을 위해 자기 손목을 자른 제자를 심하게 꾸짖으면서 몸을 상하는 믿음은 의미 없음을 분명히 한다.

9장. 신룡전법상 자체 살림을 위해 소싸움 대회까지 출전한 불법연구회는 드디어 1935년 익산총부 대각전 준공식을 하고, "물질이 개벽되니 정신을 개벽하자"는 설법을 하고, 교도들은 법열의 기쁨에 춤추고 노래한다.

10장. 계미열반상 민족 지도자 도산 안창호 방문 이후 일제의 집요한 사찰과 감시에 소태산 박중빈은 무저항으로 일제의 저항을 견딘다. 이 과정에서 조선인 일본순사 황가봉을 제자로 받아들이고 이천이란 이름까지 내린다. 1941년 마지막 게송을 미리 내리고, 『정전』을 한글로 출판할 준비를 한다. 1943년 이리병원에서 열반하신다.

공연양식

한국적인, 가장 한국적인 공연양식

식민지 시대 민족의 독립 자존을 꿈꾸는 토착종교로서 출발하여 21세기 동시대 한국사

회에서 일상 속에 깊숙이 뿌리내리고 있는 원불교의 성격에 맞게, 다양한 한국적인 공

연양식들이 만난다.

우리 가곡인 정가를 비롯, 범패, 판소리가 극 전반을 아우르며, 택견, 선무도, 덧뵈기 즉

흥춤 등 우리 고유의 움직임이 다채롭게 펼쳐진다.

또한 원불교의 성지인 영광이 주무대인만큼 전라도 방언이 연극언어로 표현되면서 남

도 특유의 해학과 신명을 담아낼 것이다. 무대 또한 원불교의 상징인 원을 중심으로 하

여 여백의 미를 살리며 한국 전통 불교양식인 만석중놀이(그림자놀이)를 무대 미술로

수용하여 움직이는 병풍을 보는듯한 한국적 무대미학을 선보일 것이다.

만석(萬石)중놀이

만석중놀이는 불교와 관련이 깊어서 석가탄신일에 축하 여흥으로 놀던 것이다. 주로 담구석에 간략한 무대를 설치하고 노는 놀이로 무언극이며, 막 뒤에서 불빛을 비춰 그림자가 막에 나타나게 하는 그림자극이다. 만석중 인형은 나무로 만들며 머리와 팔, 다리, 가슴, 배가 각각 분리되어 끈으로 연결되어 있다. 또 가슴에는 두 군데 구멍을 뚫어 네 개의 끈이 통하게 한 다음 좌우 양손과 양다리 끝에 한 가닥씩 꿰어서 빠지지 않게 하였다. 인형을 놀리면 양쪽 손은 가슴을, 양쪽 다리는 머리를 치는 상태가 된다. 그러나 그게 전부일뿐 다른 몸짓은 없다.

만석중 인형 주위에는 몇 가지 동물들이 등장하는데, 좌측에는 노루와 사슴이 다투는 모습을, 그리고 우측에는 용과 잉어가 여의주를 서로 삼켰다 토했다 하는 광경을 반복하며 노는 그림자극이다. 사슴과 노루는 두꺼운 마분지를 오려서 만든다. 목과 다리·꼬리를 따로 오려서 그 이음새 부분을 못이나 바늘로 연결한다. 따라서 이를 움직이면 머리를 흔들게 되고, 꼬리도 흔들리며, 발은 서로 차기도 하는 등 마치 두 동물이 싸우는 것처럼 보이는 것이다. 한편 용과 잉어는 창호지를 오려서 물을 들여 만든다. 용과 잉어 사이에는 등을 매달아 실로 연결을 한다. 이 실을 좌우로 잡아당기면 등이 잉어한테로 갔다가 용한테로 가고 하며 마치 잉어와 용이 서로 여의주를 삼켰다 뱉었다 하는 것처럼 보이는 것이다.

법신불 일원상

일원(一圓)은 법신불(法身佛)이니
우주(宇宙) 만유(萬有)의 본원(本源)이요,
제불(諸佛) 제성(諸聖)의 심인(心印)이요,
일체(一切) 중생(衆生)의 본성(本性)이다.

일원상은

소태산 대종사께서 우주의 진리를 깨치신 뒤 밝혀주신 진리의 상징적 표현으로 부처님
이나 하나님, 진리, 도, 태극과 같은 궁극적 진리를 가리킨다. 말로 표현하면 일원상이요
형상으로 표현하면 둥그런 원으로, 우주만유의 본원이며 모든 성자들의 마음이며, 모든
중생의 본래 청정한 마음으로 우주만유의 생성 변화를 주재하지만 볼 수도 들을 수도
만질 수도 없다. 소태산 대종사께서는 이를 둥그런 일원상으로 그려주시며 마치 달을
가리치는 손가락과 같다고 비유해 주셨다. 따라서 모든 원불교인들은 이 일원상 진리를
닮아가기 위해 정진 적공하고 있다.

원불교는 어떤 종교인가

원불교는 1916(원기 1)년 4월 28일, 교조이신 원각성존 소태산 박중빈 대종사의 큰 깨
달음을 계기로 시작된 종교이다. 소태산 박중빈 대종사는 20여 년간의 구도고행 끝에
만유가 한 체성이요 만법이 한근원이라는 큰 깨달음을 얻으신 뒤, 장차 인류와 세계의
미래가 물질문명의 발달로 인해 정신문명이 크게 약해질 것을 예견하고 인류 정신문명
을 이끌어 나갈 새 시대 새 종교로 원불교의 교문을 열으셨다. 소태산 대종사께서 깨달
으신 궁극적 진리인 법신불 일원상을 신앙의 대상과 수행의 표준으로 삼아 진리적 신앙
과 사실적 도덕의 훈련을 펼쳐오고 있는 원불교는 현재 100여 년의 역사 속에서 세계
23개국에 진출해 세계 보편 종교로 발돋움하고 있다.

작품 속
인물 소개

원불교 교조(教祖)
소태산 박중빈 대종사

정신개벽으로 하나의 세계
마음공부로 하나의 세상!

소태산 대종사(少太山大宗師) 박중빈(朴重彬,
1891.5.5. ~ 1943.6.1.)은 1891년 양력 5월 5일
전라남도 영광에서 부친 박성삼, 모친 유정천의
아들로 태어났다.

7세 때부터 자연현상과 인생에 대하여 특별한 의
심을 품고, 스스로 도(道)에 발심하여 20여 년간
구도고행을 계속하사 마침내 1916년 4월 28일, 큰 깨달음을 이루었다.

소태산 대종사 대각 후 "물질이 개벽되니 정신을 개벽하자"는 표어를 주창하고, 먼저 미
신타파, 문맹퇴치, 저축조합운동을 통해 혼란한 시국 속에서도 희미해져 가는 민족의
혼을 일깨우고, 땅에 떨어진 인륜의 정신을 바로 세우고자 하였다. 새 회상 창립의 경제
적 기초를 세운 2만 6천여 평의 정관평 방언공사, 인류 구원을 위한 혈성의 기도로 법계
의 인증을 받은 법인성사, 법신불 일원상을 최고의 종지로 삼아 교리와 제도를 제정한
봉래제법, 교화, 교육, 자선의 중심지 익산 총부 건설 등 소태산 대종사의 제세경륜은
인류의 빛이요, 거룩한 주제 성자의 생애였다.

"유(有)는 무(無)로 무는 유로 돌고 돌아 지극(至極)하면 유와 무가 구공(俱空)이나 구공 역시 구족(具足)이라"는 게송을 설하시고 열반하셨다.

○ 게송(偈頌)

유(有)는 무(無)로 무는 유로
돌고 돌아 지극(至極)하면
유와 무가 구공(俱空)이나
구공 역시 구족(具足)이라.

"있는 것은 없어지기도 하고 없는 것은 다시 있어지기도 한다.

있는 것과 없는 것이 서로 끊임없이 돌고 돌다 보면

마침내 둘 다 텅 비어버리는 경지에 도달하게 되나

텅 빈 곳에서 다시 모든 것을 다 갖추어 있어서

무궁무진한 조화가 나타난다."

소태산 대종사의 일대기는 대종사 십상으로 정리해 볼 수 있으며, 이는 원불교 창립의 큰 물줄기이며 초기 교단사이기도 하다.

대종사십상(大宗師十相)

① 관천기의상(觀天起疑相) - 하늘을 우러러 의심하다

7세경부터 우주 만유의 온갖 이치와 인간세상의 모든 일에 대해 스스로 큰 의심을 일으키어 깊은 사색에 잠기게 됩니다.

② 삼령기원상(蔘嶺祈願相) - 삼밭재에 올라 기도하다

11세 되던 해 문중의 시향제에 참석했다가 신통 불가사의한 힘을 가졌다는 산신에 관한 이야기를 듣고, 산신을 직접 만나서 모든 의심을 해결하리라는 희망을 품고 삼밭재 마당바위를 오르내리면서 기도를 5년간이나 지성으로 계속합니다.

③ 구사고행상(求師苦行相) - 스승을 찾아 고행하다

16세 되던 해 봄에 고대소설 『조웅전』 읽는 소리를 듣는 중에 주인공이 도사를 만나 신통 묘술을 배워 크게 성공하고 모든 소원을 다 이루었다는 이야기를 듣게 되었습니다. 이때부터 산신 만나기를 단념하고 보통 인간과 똑같은 형상을 했다는 도사를 만나 모든 의심을 해결해 보리라는 결심으로 스승을 찾아 온갖 고행을 거듭합니다.

④ 강변입정상(江邊入定相) - 강변에 서서 명상하다

20세가 넘자 산신과 도사는 이야기 속에서나 등장하는 가공적인 존재임을 알게 되었습니다. 이때부터 '내 이 일을 장차 어찌할까?' 하는 큰 걱정만 날로 쌓이게 되어, 우연히 떠오르는 주송을 외우기도 하고 때로는 동상처럼 우두커니 한 곳에 서서 깊은 명상에 빠져들게 되었습니다. 24·5세 경을 전후해서는 일체의 사량 분별을 잊어버리고 큰 정(大定)에 들게 되었고, 이 무렵 어느 여름날 선진포 나루터에서 반일 동안이나 입정상태에서 그대로 서 있기도 하였습니다.

⑤ 장항대각상(獐項大覺相) - 일원의 진리를 깨닫다

26세 되던 1916년 4월 28일 이른 새벽, 동쪽 하늘이 밝아오는 것을 보고 문득 마음이 밝아지고 모든 의심이 일시에 다 풀리고 마침내 일원의 진리를 크게 깨치게 되었습니다.

⑥ 영산방언상(靈山防堰相) - 바다를 막아 농토를 일구다

깨달음을 얻으신 후 최초로 구인제자를 얻어 저축조합을 설치하고 미신타파·허례폐지·근검저축·절약절식·공동출역 등으로 새 생활운동을 전개하였습니다. 1918년(원기3) 4월부터는 1년간 구인제자들과 함께 영산 앞의 갯벌을 막아서 간석지 개간 사업을 전개하였습니다.

⑦ 혈인법인상(血印法認相) - 진리계의 인증을 얻어내다

방언공사가 끝나자 이어서 구인제자로 하여금 마음을 통일시키고 공도정신을 살리기 위해 진리 앞에 사무여한의 기도 서원을 올리게 하여, 1919년(원기4) 8월 21일에 마침내 백지혈인의 이적이 나타나 새 회상창립의 법계 인증을 얻게 되었습니다.

⑧ 봉래제법상(蓬萊制法相) - 교리의 교강을 제정하다

혈인기도를 끝낸 다음, 그해 10월 경에 전북 부안 봉래정사로 들어가 몇몇 제자들과 함께 수양과 보림에 주력하신 한편으로는 창립인연들을 만나고 일원상·사은·사요·삼학 팔조를 중심으로 한 교리의 강령을 제정하고,『조선불교 혁신론』『수양연구요론』등의 초기교서를 초안하였으며, 총부 건설의 때를 기다리고 있었습니다.

⑨ 신룡전법상(新龍轉法相) - 둥그신 법륜을 굴리다

마침내 기회가 무르익자 1924년(원기 9) 6월 1일에 익산 보광사에서 불법연구회 창립 총회를 개최하고 교문(敎門)을 공개하게 되었습니다. 이어 전북 익산군 북일면 신룡리 (현재 익산시 신용동)에 총부기지를 정하고 12월 경에 1차 건설을 끝내고 이로부터 제 생의세의 교화사업을 펴기 시작합니다.

⑩ 계미열반상(癸未涅槃相) - 성자의 생애를 마치다

일제의 압정 속에서 교단을 창립 발전시켜 오다가 1943년(원기 28) 계미년 6월 1일 53세로 열반에 드셨습니다.

정산종사

정산종사(鼎山宗師)
송규(宋奎, 1900. 4. 8.~1962. 1. 24.)

본명은 송도군(宋道君), 법명은 송규(宋奎), 정산(鼎山)은 법호(法號)이다. 1900년 음력 4월 8일 경북 성주군 초전면에서 부친 송벽조와 모친 이운외의 장남으로 태어나셨다. 어려서부터 구세의 뜻을 높이 품고 1917년 17세 때에 전라도로 건너와 정읍 화해리에서 소태산 대종사의 제자가 되었다. 이때부터 정산종사는 소태산 대종사의 수제자로서 다른 구인제자들과 함께 교단 창립에 적극 노력하였으며, 교리 제정에 기여한 공로로 인하여 소태산 대종사는 그를 '우리 회상의 법모(法母)'라고 까지 칭찬하였다. 이후로 익산총부와 영산성지에서 후진양성에 주력하였고, 1943년(원기 28) 소태산 대종사께서 열반하자 종통을 이어 후계 종법사가 되었다.

일제 말기의 가혹한 탄압과 8.15의 혼란, 6.25의 수난 등을 극복하면서 소태산 대종사의 성업을 계승 발전시켰으며, 8.15 광복 이후에 교단의 명칭을 「불법연구회」에서 「원불교」로 바꾸었다. 정산종사는 「원각성존소태산대종사비명」을 직접 집필하여 소태산 대종사를 후천개벽시대의 주세불로, 원불교를 주세종교로 천명하였으며, 동원도리·동기연계·동척사업의 삼동윤리를 통해 세계는 하나의 진리, 인류는 한 가족임을 말씀하셨다.

대산종사

대산종사(大山宗師)
김대거(金大擧, 1914. 3. 16. ~ 1998. 9. 17.)

본명은 김영호(金榮灝), 법명은 대거(大擧), 법호는 대산(大山)이다. 1914년 음력 3월 16일 전북 진안군 성수면 좌포리에서 부친 김인오와 모친 안경신의 5남매 중 장남으로 출생했다. 어려서부터 기상이 활달하시고 성격이 대범하시어 일찍부터 대인의 풍모가 엿보였으며 11세에 만덕산 초선회에서 대종사를 만난 후 원불교에 출가하였다.

대산종사는 정산종사의 유업을 계승하여 교서편찬, 삼동원 개척에 주력하고, 해외교화 강화, 훈련강화, 서울회관 건립, 교도 법위향상 운동 등에 교단의 힘을 쏟았다. 33년간 종법사로 재임하면서 개교반백년 기념성업 추진, 교단창립 2대 및 소태산 대종사 탄생 백주년 기념성업 등을 주도하였고, 세계적인 종교연합운동을 제창하셨다. 대산종사는 탁월한 지혜와 강력한 지도력으로 교단을 이끌면서 교세를 발전시켰고, 1994년(원기 79) 11월에 종법사직을 양위하고 상사로 추대되어 여생을 교단 발전에 헌신했다.

소태산 대종사의 첫 9인 제자

일산 이재철
(1891~1943)

이산 이순순
(1879~1941)

삼산 김기천
(1890~1935)

사산 오창건
(1887~1953)

정산 송규
(1900~1962)

오산 박세철
(1879~1926)

육산 박동국
(1897~1950)

칠산 유건
(1880~1963)

팔산 김광선
(1879~1939)

소태산 대종사의 첫 표준 제자 아홉 사람. 일산 이재철(一山 李載喆), 이산 이순순(二山 李旬旬), 삼산 김기천(三山 金幾千), 사산 오창건(四山 吳昌建), 오산 박세철(五山 朴世喆), 육산 박동국(六山 朴東局), 칠산 유건(七山 劉巾), 팔산 김광선(八山 金光旋), 정산종사(鼎山宋奎)이다.

9인 제자는 원불교 교단 창업기에 남 먼저 참여하여 새 회상 건설에 앞장서 초기 교단사의 초석을 다졌다. 원불교 발상지 영산성지에서의 저축조합 운동, 방언공사(防堰工事), 백지혈인(白指血印)의 법인성사(法認聖事) 등을 몸소 체현(體現)한 주인공들이다. 인류 역사를 돌아보면 석가·공자·예수 등 대성자들이 출세(出世)하여 혼탁한 세상인심을 바로잡고 인류가 평화의 성지에서 행복하게 살도록 인도함에, 그러한 대성인의 곁에는 반드시 그 법을 받들고 보필하는 훌륭한 제자들이 있었다. 그 대표적 인물들이 바로 불교 석가불의 십대 제자(十大弟子)요, 유교의 공문십철(孔門十哲)이며, 기독교의 예수 십이 사도(十二使徒)이다. 원불교에서는 소태산의 구인제자가 바로 이런 인물들이다.

오늘날 원불교가 길지 않은 역사에 한국 사회의 공인을 받고 세계적 종교로 역할하기 위해 교화 발전을 하고 있는 것은 재가·출가 전교도의 가슴속에 9인 선진이 이루어 낸 창립정신이 맥맥히 계승되고 있기 때문이다. 원불교의 정신적 지주가 되는 창립정신은 이소성대(以小成大)·일심합력(一心合力)·무아봉공(無我奉公)·근검저축(勤儉貯蓄) 등의 정신을 말한다. 이는 교단 초창기에 소태산의 9인 제자, 곧 9인 선진들이 소태산의 지도에 힘입어 저축조합·방언공사·혈인기도 등을 통하여 직접 체현해 형성한 교단 창립의 원동력이 된 정신이다.

소태산의 여성 10인 제자

일타원 박사시화
(1867~1946)

이타원 장적조
(1878~1960)

삼타원 최도화
(1883~1954)

사타원 이원화
(1884~1964)

오타원 이청춘
(1886~1955)

육타원 이동진화
(1893~1968)

칠타원 정세월
(1896~1977)

팔타원 황정신행
(1903~2004)

구타원 이공주
(1896~1991)

십타원 양하운
(1890~1973)

남녀평등을 주창하였던 소태산 박중빈 대종사는 1932년(원기 17) 초판된『보경 육대요령(寶經六大要領)』에서 사요(四要)의 첫 조항으로 남녀권리동일(男女權利同一)을 제시하고 있다. 이 남녀권리동일은 교리 변천과정에서 자력양성으로 개칭되나 그 내용의 대체는 동일하다. 원불교 여성활동의 역사는 완벽한 평등을 추구하고 보장받는 역사라는 면에서 어느 종교, 어느 사회의 여성활동 역사와도 구분된다. 이는 전적으로 미래사회를 관망한 대종사의 각(覺)의 안목에 힘입고 있다고 하겠다. 교단에서 여자에게 법호를 주기 시작한 것은 대종사 열반 후인 1945년(원기 30) 1월 25일이었으나 수위단원을 비롯한 몇몇 여성제자들에 대한 법호 내정은 대종사 재세 시에 이루어졌다.

여성 10인 제자들은 여성의 몸으로 인습의 차별과 지역적 한계를 극복하는 주체적인 교화자로서 경상도를 넘어 만주벌판까지 교화의 장을 넓히신 살아있는 교화자였고, 아낌없는 보필로 교화기반을 다져주신 신성의 삶은 이 회상의 창립주였다. 몸은 티끌 세상에 처하신 대로 살림은 한 가정에 머물렀으나 마음은 연꽃처럼 맑히고 공덕을 이 회상에 쌓으신 여장부이며, 재가활동가로의 삶이었다. 이 중에는 전무출신의 직을 가지신 분들도 있고, 특별한 교직이 없이 전문순교, 행상순교로 교화활동을 펼치시며 직접과 간접으로 기회 따라서 기관과 교당에 힘을 모우고 주인이 되셨던 거진출진도 계시다. 이러한 선진님들의 신성과 열정, 헌신과 정성이 있었기에 원불교 교법이 이어지고 원불교 100년을 이어올 수 있었다.

그 외 연극에 출연하는 선진

황이천(黃二天, 1910~1990)

본명 가봉(假鳳). 일제강점기에 원불교를 전담하여 수사하던 순사. 1931년(원기 16) 5월 1일 경찰 교습소에 입소 훈련을 받고 10월 1일에 이리경찰서에 부임. 1936년(원기 21) 10월 총부 청하원에 신설된 북일주재소에 파견. 소태산 대종사의 인품과 가르침에 감복하여 제자가 되어 교중 일을 도왔다.

조송광(曺頌廣, 1876~1957)

본명은 공진(工珍). 법호는 경산(慶山). 불법연구회 제2대 회장. 공타원 조전권의 부친. 기독교 장로(長老)의 신분으로 소태산 대종사의 제자가 되었다. 어릴 적부터 유학을 공부했고 18세에 동학 농민운동에 참여했고 이후 의술을 익혀 약방을 경영하며 이름을 사방에 떨쳤다. 이웃에 사는 송적벽(호적명 찬오)으로부터 소태산 대종사를 한번 만나 보라는 제의를 받고 전주 한벽루(寒碧樓)에서 첫 만남을 갖게 되니, 1924년(원기 9) 봄이었다.

서대원(徐大圓, 1910~1945)

본명은 길홍(吉泓). 1910년 3월 10일 전남 영광군 법성면 용덕리에서 부친 기채(奇彩)와 모친 박도선화(朴道善華)의 5남매 중 차남으로 출생. 1929년(원기 14) 2월 22일 출가하여 불법연구회 상조부, 공익부 서기 및 출납원, 연구부장, 순교무, 총부교감 등을 역임했다.

출연진 소개

윤정섭

젊은 소태산 대종사 / 진섭 / 처화

연극

햄릿, 길떠나는 가족, 벚꽃동산, 갈매기
이순신, 미스 줄리, 초혼, 오구, 맥베스, 꿈,
어머니, 길바닥에 나앉다, 사중주, 세자매
화성에서 꿈꾸다, 변두리극장 외

이원희

대각후 소태산 대종사 / 처화 / 박중빈

연극

궁리, 바냐삼촌, 갈매기, 세자매
문제적 인간 연산, 맥베스, 혜경궁 홍씨
셰익스피어의 모든 것, 이순신, 헨리 4세 외

김미숙

이원화(봉순)-바랭이네 / 도창

연극

억척어멈과 그의 자식들, 백석우화, 어머니
오구, 초혼, 씻금, 햄릿, 첫사랑이 돌아온다
피의 결혼, 문제적 인간 연산, 채권자
탈선춘향전, 산너머 개똥아, 자장가
이순신 외

김민정

정가, 작곡 및 시창

서울대학교 한국음악학 박사
중요무형문화재 제30호 가곡 이수자
서울대학교, 숭실대학교 강사

연극

바보각시, 세월이 좋다, 문제적 인간 연산, 일
식, 흉가에 볕들어라, 레이디 맥베스, 두 메데
아, 옛날 옛적에 훠어이 훠이, 한중록, 오페라
아랑, 뿌리 깊은 나무, 아리랑 랩소디, 꿈꾸는
세종 외 다수 음악 및 출연

김계원(태원) 도무

오창건(재겸) / 황이천(가봉) 외

연극
그럼 우린 뭐야, 리차드 3세 헨리 4세, 평강과 온달 외

홍민수

거지 / 장사치 / 미와 외

연극
방바닥 긁는 남자, 오구, 레드채플린, 궁리, 이순신
벚꽃동산, 바나샴촌, 살아있는 이중생 각하, 초혼, 햄릿
안데르센, 화성에서 꿈꾸다, 아르투로 우이의 출세 외

정연진

김광선(성섭) / 황이천(가봉)

연극
서툰사람들, 시골선비 조남명, 억척어멈과 그의 자식들
아름다운 남자, 씻금, 산너머 개똥아, 탈선춘향전
이순신, 화성에서 꿈꾸다, 바나샴촌, 오구, 어머니
초혼, 궁리, 길떠나는 가족, 물고기의 귀향
코마치후덴, 류의 노래 외

천석기

유건(성국) / 조송광(공진) / 도경국장 / 미쓰바시 외

연극

갈매기, 이순신, 햄릿, 맥베스, 바보각시, 양날의 검
화성에서 꿈꾸다, 양날의 검, 화성에서 꿈꾸다, 경성스타
아름다운 남자, 점점 투명해지는 사나이, 방바닥 긁는 남자
떡 하나 주면 안잡아 먹지 외

김준호

김광선(성섭) 외

연극

이순신, 갈매기, 코뿔소, 원전유서, 약산아리랑
한 여름 밤의 꿈, 떡 하나 주면 안잡아 먹지 외

최지혜

여주인 / 이청춘(화춘) 외

연극

오구, 문제적 인간 연산, 비닐하우스
산너머 개똥아, 리어왕, 홀스또메르, 수전노 외

이혜선

이공주(경자) 외

연극

벚꽃동산, 갈매기, 코마치후덴, 물고기의 귀향
두 개의 달, 혜경궁 홍씨, 바냐삼촌, 백석우화, 궁리
오구, 안데르센, 몽타주, 아리랑, 이순신 외

양승일

지리산도사 / 객주 외

연극

서울시민 1919, 벌거벗은 임금님, 물고기의 귀향
첫사랑이 돌아온다, 피의 결혼, 어머니, 류의 노래, 오구, 초혼 외

박정우

송규(정산종사) 외

연극

어머니, 길떠나는 가족, 이순신, 안데르센, 천국과 지옥
배뱅이 꽃이 되리라, 씻금, 오구, 초혼, 약산 아리랑 외

최민혁

박동국(한석) / 서대원(길홍)

연극

방바닥 긁는 남자, 햄릿, 초혼, 서울시민 1919, 어머니
궁리, 서시, 안데르센, 오구, 탈선춘향전, 산너머 개똥아
로사줄, 형산강, 파출소 난입사건, 사랑의 제국 외

김현정

양하운 / 여주인 / 이청춘(화춘) 외

연극

혜경궁 홍씨, 궁리, 오구, 탈선춘향전, 산너머 개똥아
배뱅이 꽃이 되리라, 서울시민 1919, 씻금, 초혼 외

김갑연

어머니 / 박사시화 외

연극

산너머 개똥아, 꿈, 서울시민 1919, 씻금, 배뱅이 꽃이 되리라
삼신할머니와 일곱아이들, 맥베스, 점점 투명해지는 사나이

문성룡

동네어른 / 박성삼 외

연극

서울시민 1919, 씻금, 초혼, 궁리, 배뱅이 꽃이 되리라
꿈, 첫사랑이 돌아온다, 삼신할매와 일곱아이들 외

이현지

아낙1 외

연극

오구, 하마터면 남자와 남자가 결혼할뻔했어요
로미오와 줄리엣의 하녀, 서울시민 1919, 씻금, 초혼

신다영

아낙2 외

연극

오구, 산너머 개똥아, 배뱅이 꽃이 되리라
서울시민 1919, 씻금, 초혼

오혜민

바랭이 외

연극

안데르센, 길떠나는 가족, 씻금, 오구

김형진

이순순(인명) 외

연극

씻금, 오구, 초혼

홍한별

고지마 / 최도화 외

연극

초혼

이상철

사내 외

연극

오구

김현동

이재철(재풍) 외

연극
오구, 초혼

배소민

여주인 / 복돌네 외

연극
오구

현대영

김기천(성구) / 박주사 외

연극
눈의 여왕, 초혼

박소정

아낙3

연극
초혼

제작일지

2016.11.12. 이윤택 연출 원불교 문화사회부 교무들과 첫 미팅

2017.02.09. 고등학교 시절 원불교 첫 스승 호타원 황영규 교무님과의

2017.02.09. 원불교 경산 장응철 종법사 접견

02.09. 원불교 중앙총부 순례 및 역사박물관 관람

2017.02.22.~24 영광성지순례 및 연극 원고 탈고

2017.03.06. 이윤택 연출 월간원광 인터뷰

제작일지

2017.03.30. 포스터촬영

2017.05.02. 연습현장

노운(디자이너)
이경민(한국연극인복지재단 국장)
최자연(한국연극인복지재단 간사)
노심동(연희단거리패 배우)과 함께

05.26. 제작발표회

연습 사진

공연 사진 _서울국립극장 초연

공연 사진 _서울국립극장 초연

원불교 서사극 〈이 일을 어찌할꼬!〉를 보고 _ **김형수**『소태산 평전』작가

성자의 일대기를 살린
해학과 신명의 내공

한 마디로 모닥불 같았다. 백석의 시 〈모닥불〉에서는 때가 지난 것, 쓸모를 잃은 것, 버려진 것들이 어울려 배고픈 세상을 살찌게 하는 모닥불이 된다. 마을사람도, 행인도, 비렁뱅이도 모여서 그 불을 쬔다. 한 인간의 체험적 질서를 세계와 단절된 내면의 동굴 속으로 굴착해 들어가야 직성이 풀리는 근대 서사의 자폐증들과는 전혀 다른 대면이었다.

소태산 대종사의 일대기를 추적한 후에 내 머리 속에 남아 있던 것들, 예컨대 탈이 파시와 바랭이네와 혈인성사, 안창호, 제자가 된 형사… 들이 갑자기 눈앞에 한꺼번에 쏟아져 나온 것이다. 그 좁은 무대 위에서 소리와 율동과 그림자와 대사들이 자아내는 느낌은 문자로 통용되는 것들과는 전혀 다른 실감을 주었다. 소태산의 어린 시절을 그림자극으로 펼칠 때는 후반부를 어떻게 감당할까 긴장감을 안겼다가, 풍랑을 만난 난파선의 구도(構圖)에서는 예전에 일리야 레핀의 그림 '볼가 강의 배를 끄는 인부들'을 보았을 때처럼 놀라게 하고, 나중에 상여 나갈 때 "울지 마, 울지 마." 외치는 장면에서는 연극이라는 장르를 우러러보게도 했다. 작년에 『소태산 평전』을 쓰면서 말미에 김형오라는 인물을 넣고 싶은데 자꾸 분량이 길어져서 빼고 말았다. 그런데 운구행렬 속에서 누군가 외치는 장면 하나로 그것을 저토록 생생하게 살려내다니!

절대 권위를 갖는 한 성자의 생애를 실로 대범하게 파헤치고 들어가는 해학과 신명의 내공이 얼마나 장쾌했는지 모른다. 전통과 현대를 놓치지 않는, 그러면서 언어 미학이 넘볼 수 없는 시각적 장치와 춤, 음악, 또 거기에 어려운 대사를 제대로 육화해서 내놓는 배우들의 역량이 빚는 효과들이 한순간도 눈길을 옮기지 못하게 만든 게 사실이다. 장엄한 서

사시 같기도 하고, 신나는 마당놀이 같기도 하며, 때때로 동화 애니메이션 같기도 한 경이로운 충돌들이 종합예술적 묘미를 유감없이 살린 것이다. 원불교 서사극 〈이 일을 어찌할꼬!〉는 그런 의미에서, 내 식으로 말하면, 인간의 목숨이 가장 비참하게 여겨졌던 현장에서 세상 바깥으로 달아나는 신비주의도 아니고, 그렇다고 현실 안에 시선을 파묻어 버리는 폭력주의도 아닌(나는 이 둘을 난처한 세계를 등지는 도피의 상반된 방법들이라고 본다), 놀라운 길을 찾아낸 성자의 생애를 그리는 데 성공한 것이다.

권력이 세계의 참 모습을 가리면 예술은 감춰진 현실을 드러내는 새로운 문법을 찾아낸다. 핍박의 경험이 클수록 표현의 깊이도 심오해진다. 우리 옛 경험 속에는 그것이 만들어낸 미학적 유산들이 셀 수도 없이 많다. 그럼에도 오늘날 한국 예술이 처한 가장 큰 난관은 외래 미의식을 탐내다가 자신의 기억을 잃어버렸다는 점에 있을 것이다. 이때 우리 미학의 상속자인 이윤택 작가의 원불교 서사극을 볼 수 있다는 것은 얼마나 큰 축복인지 모른다. 그 덕분에 우리는 이제 우리는 보다 나은 꿈을 꾸어볼 수도 있을 것이다. 오늘 저 무대 위에서 구현된 것들이 '대종사님!'을 모르는 사람들에게도 '아는 분들의 머리에 담긴 것과 비슷한 것이 되게' 만들어줄 수 있을까? 교리가 아니라 소태산 대종사님의 동시대인들이 체험했던 실감의 세계를 이 시대의 사람들에게 전하는 것이 원불교의 숙제라고 생각하는 이들에게 하여튼 이 연극은 뭔가 하나의 중요한 모델을 던져놓은 게 사실이다.

백 년 전의 시대정신이 백 년 후에도 여전히
유효하다는 것을 보여주는 연극

구석기시대의 어디쯤에서 인간은 하늘의 소리를 듣고자 하였고, 사람의 소리를 하늘에 전하고자 하였다. 부족을 이끄는 족장은 제사장이었고 무당이었으며 점성술사였고 연출가였다. 그는 부족원 중에서 그림을 잘 그리는 사람을 골라 벽화를 그리게 하였고, 시를 짓게 했으며 춤을 연습시켰다. 동굴의 벽화가 완성되자 모두들 벽화 앞에 모여 노래하고 춤추고 시낭송을 하면서 한 편의 연극을 올려 하늘과 사람을 연결하였다. 태초의 종교는 연극이라는 예술 형식을 만나면서 점차 발전해갔다. 세상의 모든 법회와 예배는 근본적으로 연극적이고 주술적인 종교의 형식인 것이다.

소태산의 일대기를 그린 연극 〈이 일을 어찌할꼬!〉를 보았다. 한 사람의 일대기를 그린 서사극에다 종교극이니 큰 기대는 하지 않았다. 종교적 엄숙함이 흐르는 연극을 본다는 것은 참으로 지루한 일이기 때문이다. 다만 이윤택 연출에다 연희단거리패의 작품이라고 하여 일말의 기대를 가지긴 했었다.

막이 오르기 전의 무대는 단출했다. 일원상을 본뜬 동그라미 형태의 무대에 화면 하나만 달랑 매달린 배경을 보고 약간 실망했다. 그러나 역시 이윤택이었고 연희단거리패였다. 막이 오르자마자 모든 우려가 사라지고 나도 모르게 연극에 빨려 들고 말았다. 소태산의 생애를 십상의 내용으로 쉽게 풀어내는 솜씨가 예사롭지 않았다. 어려운 내용을 쉽게 풀어내는 전개가 역시 거장의 솜씨다웠다.

서양의 정통 무대극이 아니라 우리 민족의 애환이 숨결처럼 스며든 구음, 정가, 판소리의 형식을 두루 섞은 마당극으로 극이 전개되니, 무대로부터 소외되지 않아서 좋았다.

정가가 극을 끌어갈 때는 온 우주에 몸을 싣는 어린 소태산의 고행이 펼쳐지고, 구음이 나올 때에는 온몸에 피고름이 돋는 고행을 할 때이며 마당놀이가 펼쳐질 때에는 방언 공사를 끝낸 뒤의 축제를 표현할 때였다. 무대의 배경은 그림자극의 형식을 채용하여 자잘한 재미를 느낄 수 있게 해주었다. 이런 식으로 연극의 내용과 형식이 적재적소에 딱딱 맞아떨어졌다. 그리고 성가의 가창 실력과 가사의 수준도 중층적으로 겹치고 겹쳐 일정한 높이의 수준을 고르게 보여주었다.

그리고 인물들도 어쩌면 그렇게 잘 어울리게 배역을 정했는지, 소태산 역할의 이원희를 보고는 대종사님이 현현하신 것 같아 깜짝 놀랐다. 바랭이네와 황이천은 연극을 끌어가는 조연으로서 최고의 캐릭터였고 연기를 보여주었다. 바랭이네가 연극을 이끌어가는 조연 역할을 많이 하는 것에 대해 마음이 불편한 사람들도 있을 것이다. 그것은 소태산을 위대한 교조로 모시고 싶은 갸륵한 뜻에서 나온 마음일 터. 하지만 흠결 없이 어찌 인류사에 빛나는 위대함을 성취하겠는가. 바랭이네가 빠진다면 〈이 일을 어찌할꼬!〉는 앙꼬 없는 찐빵이 되어 참으로 맛없는 맹탕 서사극이 되고 말 것이다.

〈이 일을 어찌할꼬!〉는 백 년 전의 시대정신이 백 년 후에도 여전히 유효하다는 것을 보여주는 연극이다. 소태산의 시대정신과 이윤택의 시대정신이 마음과 마음으로 이어져 있기에 가능한 연극적 법회였다. 울컥했다.

스태프 소개

연희단거리패 제작팀

극본. 연출 **이윤택**
제작총괄 **김소희**
안무 **하용부, 김윤규, 이승헌**
무대 **김경수**
조명 **조인곤**
의상 **김미숙**
소품 **신명은**
무대감독 **김한솔**
기획 매니저 **노심동, 지연서**

음악팀

음악감독/작곡 **최우정**
대표작 달이 물로 걸어오듯,
더 코러스:오이디푸스, 궁리 외 다수

가곡 작곡/소리 **김민정**
대표작 바보각시, 문제적 인간 연산,
로즈, 억척어멈과 그 자식들, 더 코러스:오이디푸스,
달이물로걸어오듯, 궁리 외 다수

작창 **안이호**°
대표작 비빙 '이종공간', 완창판소리 '수궁가',
국립국악원 '공무도하' 외 다수

가창지도 **황승경**
대표작 안데르센,
파가로 베이커리 외 다수
○

가야금연주 **김효숙**°°
대표작 극단 하땅세 '작은악사',
극단마실 '달려라달려 달달달2,3' 외 다수

편곡 **신유진**
대표작 궁리 외

○○

원불교 문화사회부 기획총괄팀

정인성 교무 / 이명아 교무 / 장인국 교무
정명선 교무 / 이항민 교무
권혜미 / 이지선 / 정보현 / 한가선

그래픽 **다홍디자인**

사진 **이강물**

프로젝트 매니저 **이경민**(한국연극인복지재단),
최자연(한국연극인복지재단), **황은적 원무**(양정
교당)°°°

홍보팀

월간원광, 원불교신문, WBS 원음방송,
한울안신문

연희단거리패 소개

연희단거리패 TTG (Theatre Troupe Georipae)

연희단거리패는 1986년 부산에서 창단, 자체 가마골소극장을 중심으로 〈푸가〉〈히바쿠샤〉〈산씻김〉〈심판〉〈시민 K〉등 일련의 상황극을 막 올리면서 독자적인 연극양식을 갖춘 실험극단으로 급성장했다. 1988년부터 서울 공연을 단행, 〈산씻김〉(1988년), 〈시민K〉(1989년), 〈오구〉(1990년), 〈느낌, 극락같은〉(1998년), 〈시골선비 조남명〉(2001년), 〈초혼〉(2003년), 〈아름다운 남자〉(2005년), 〈억척어멈과 그의 자식들〉(2006년), 〈원전유서〉(2008년) 등으로 한국 현대연극의 흐름을 주도했다. 2008년 〈원전유서〉로 제45회 동아연극상 대상·연출상·희곡상·여자연기상·무대미술상을 휩쓸면서 명실 공히 한국연극의 중심극단으로 자리했다.

연희단거리패는 언제든지 공연이 가능한 고정 레퍼토리를 확보하고 있으며, 연중무휴의 국내외 공연이 가능한 극단이다. 〈오구-죽음의 형식〉(이윤택 작·연출)은 24년째 공연되고 있으며, 〈어머니〉(이윤택 작·연출), 〈바보각시-사랑의 형식〉(이윤택 작·연출), 〈햄릿〉(이윤택 연출)은 초연 이후 고정 레퍼토리로 정착되면서 공연이 계속되고 있다. 그 외 약 30여 편의 상시 운용이 가능한 고정 레퍼토리를 확보하고 있다.

연희단거리패는 2011년부터 영문 표기를 TTG(Theatre Troupe Georipae)로 개명하였다. 연희단거리패는 창단 당시부터 영문표기 STT(Street Theatre Troup)를 사용하면서 거리극 중심극단을 표방해왔다. TTG(Theatre Troupe Georipae)로의 개명은 배우중심의 동인제 극단 성격은 그대로 유지하되 거리극 만을 고집하지 않는, 다양성을 추구하는 극단으로 성격이 전환되었음을 의미한다.

이 일을 어찌할꼬!

대본

원 불 교 ○ 서 사 劇

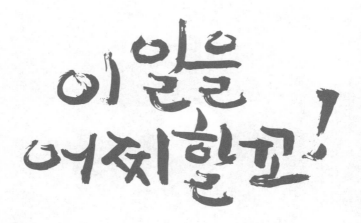

난세를 가로질러 간 성자

○

소태산 박중빈

이윤택 作

1막. 수행편

무대는 한국의 전통 색채 그림자극 만석중놀이 양식으로 다양한 공간의 변화를 표현한다.

실제 연도와 장소에 대한 기록은 사진 자료와 자막으로 표현된다.

게송과 노래는 자막으로 가사가 표현된다.

1장. 관천기의상

(자막) 1895년 영광군 백수면 길룡리 영촌마을

(그림막1)   화창한 봄날 집 뒷산 옥녀봉

해가 뜨고 새가 날고 나무가 기지개를 펴고

다시 해가 지고 학이 날아들고

달이 뜬다.

어린 4세 대종사 엄마 등에 업힌 채 길을 가다가

문득 손가락으로 달을 가리킨다.

어린 대종사   엄마, 달 잡으러 가자!

(그림막은 천지 만물의 조화로운 움직임을 보여주면서)

(No1. 게송/정가)

저 하늘은 얼마나 높고 넓은 것인가

저 바람은 어디서 불고

구름은 어떻게 생기는 것일까

(그림막2)　　　무덤 봉분들이 즐비한 선산.

사람들이 제를 올리고 절 한다.

(자막)　　　1902년 영광군 백수면 길룡리 영촌마을

11살 진섭　조상님 모시는 제산디, 왜 산신한테 먼저 절을 한다요?

동네어른　아따 산신이 산의 주인잉게 먼저 절을 해야제.

11살 진섭　산신이 진짜 있당가요?

동네어른　아믄 계시제. 산신은 그냥 계시기만 헝게 아니고

그 능력이 말로 다할 수 없단 말이세.

(No2. 게송/정가합창)

사람은 무엇 때문에 살아가나

사람이 죽으면 어디로 가는 것일까

죽은 사람은 다시 살아날 수 없는가

나는 누구인가!

2장. 삼령기원상

(자막)   1902-1906 삼밭재 마당바위

(그림막3)   삼밭재 마당바위

도창   (No3. 삼령기원상/판소리)

산신을 만나러 어디로 갈 것인가?

깊은 골 높은 재 간절한 소원 지극한 정성 바칠 때

홀연히 나타난다 허니

열한 살 진섭이는 삼밭재에 올랐다.

10리 산길 걸어 마당바위에 올라 앉아

사방을 향해 두루 큰절을 올린다.

산과일 따 모아 마당바위에 늘어놓고

비가 오나 바람이 부나 천둥이 치나

기도를 올리는데

마침내 백일이 다가왔네

산신령은 어디 갔는지 나타날 기미를 안 보이네

진섭은 자신의 정성이 부족하다 생각했다.

그래, 천일이다!

신령님을 만날 수만 있다면 천 일이 아까우랴

춘하추동이 세 번 흘러가고

천일기도 끝이 나도

산신령은 나타나지 않았다.

진섭이는 어느새 열다섯이 되었다.

아버지   산신이 어딨다고 지랄이냐,

             헛공부 그만하고 장가나 가라이-.

3장. 구사고행상

(자막)   1906년, 15세

무대는 전통 혼례 장면을 연출한다.

도창   열다섯 진섭은 사모관대를 하고 혼례를 치른다. 처가는 같

            은 면 홍곡리 장지촌 가난한 농부 양화일의 둘째 딸, 신부는

            고운 태가 없는 대신 키 크고 뼈대가 굵은 억척처녀. 진섭은

            이제 이름 대신 처화라는 자로 불리운다.

(애기 울음소리와 함께)

(그림막4)   처화 가족의 본가를 보여준다.

아내   보소 막내가 당신 보고 잪아 우는 갑소 당신이 한번 달래

보소.

(마당에 섰던 처화는 서투르게나마 둥게둥게를 하며 아이를 달랜다.

무슨 설움에 겨운 듯 울던 아이는 신통하게도 울음을 뚝 그치고 아빠를 빤

히 올려다 본다.)

처화   요 어린 것이 눈물 한 방울 흘리지 않고 어디서 그런 애절한

목소리를 만들어 낸단 말인가?

네게 무슨 슬픔이 있길래….

(처화의 눈에서 눈물 방울이 뚝 떨어진다. 아이가 놀라서 다시 자지러지게

운다. 그러자 아이의 울음소리에 전염이 된 듯 처화가 울기 시작한다. 얼

굴을 하늘에 대고 '흑흑 우우!' 어린애처럼 우는데, 울음이 봇물같이 터져

나온다. 아내가 놀라서 나와 아이를 받아 들어가고 어머니가 근심스런 표

정으로 나온다.)

어머니   처화야! 니도 인자 돈을 벌어야 쓰지 않것냐.

농사는 백날 져봐야 입에 풀칠하기도 힘등게 농사는 니 안

사람 혼자서도 헐 수 있응게 니는 장사를 혀라.

장사를 그리야 빚을 갚지 않것냐이.

(어머니 유씨가 가락지를 빼 내어 준다.

아내 양씨가 처화의 등에 지게를 매어준다.

참깨와 녹두를 지게에 얹어준다.

처화는 지게를 지고 무작정 길을 나선다.)

(자막)　　　선진포 구수미 법성포 장

(그림막5)　선진포 구수미 법성포 장

(장사치들이 지나가고 온다. 그 사이 처화의 지게에는 굴비, 소금 연초 고
무신 비누 같은 물건들이 쌓인다. 처화는 이 물건들을 좌판에 널어 놓고
우두커니 서 있다.)

장사치 1　아짐 이거 한번 봐봐.

손님　　　좋은 거라도 있어?

장사치1　아따 한번 봐보랑게 좋은거여.

장사치2　본전에 팝니다.

장사치3　저는 밑지고 팝니다.

장사치1　아따 물건만 만지고 그냥 가믄 어쩐디야 그냥 가져 가랑게.

　　　　　　　(물건 주고) 아따 그냥 가믄 어떡하대 돈은 내고 가야제.

66

(돈을 받아 주머니에 넣으며) 이렇게 억지 부리고
얼렁뚱땅 물건만 더 팔고 돈만 벌면 되는기여.
(우두커니 서 있는 처화를 보며) 당신은 그렇게 가만 퍼질러
앉아 있다가 석 달 만에 거덜이 나것어.

처화 (좌판을 넘겨주며) 석달 후 그지되나 지금 그지되나 마찬가
징게 이거 가져가고 반값이라도 주시요.

장사치1 긍게 장사는 아무나 한디야?

처화 (No4. 처화의 자탄가/판소리)
세상 사람들아 내 말 좀 듣소
나 또한 중생으로
세상에다 밥을 주고
매일 고생 이러하니
생사 고락 그 이치며
우주 만물 그 이치를
어찌 하면 알아볼까
이 산으로 가도 통곡소리
저 길로 가도 통곡소리
일일 삼시 먹고 사는 것이
욕이로다 욕이로다
아이고 오호호

이 일을 어찌할꼬!

(자막)　　　　법성포 삿갓형 주막집
(그림막6)　　　법성포 삿갓형 주막집

(웬 거지가 흙바닥에 터락 주저앉아 시를 읊고 있다.)

거지　　　　　(No5. 거지의 노래/시창)

　　　　　　초당에 춘수족하니 창외일지지라

　　　　　　(초당에 봄 잠이 족하니 창 밖에 해는 더디도다.)

　　　　　　대몽을 수선각고 평생아자지라.

　　　　　　(큰 꿈을 누가 먼저 깨칠 건가 평생 내 스스로 아노라.)

처화　　　　　큰 꿈을 누가 먼저 깨칠 건가 내 스스로 아노라.

　　　　　　큰 꿈을, 누가 먼저, 깨칠 건가, 내 스스로 아노라 내 스스로

　　　　　　아노라!

　　　　　　그렇다, 저 거지의 모습이야 말로 세상을 떠도는 도사들이

　　　　　　자기 정체를 감추는 변장술이다.

　　　　　　저 고름이 흐르는 부스럼딱지 투성이 거지가 어쩌면 내게

　　　　　　인생 대사를 해명해 주러 온 도사가 아니겠는가.

　　　　　　그래, 나는 왜 도사를 만날 생각을 못했는가?

　　　　　　글자를 가르치는 서당 훈장이 아니라 천문 지리 인사를 꿰

뚫어보고 불가사의한 권능을 구사하는 스승을 만나지 못했
는가?

도사라! 그래, 도사를 만나야 했어.

있지도 않는 산신을 만나려고 산에서 기도를 드릴게 아니라,
세상에서 세상을 구할 도사를 만나야해 !

(다가가 절하고) 시방 옳는 풍월을 듣고 본께 어른께선 범상
한 양반이 아니지라.

거지   아따 뭔 소리당가이? 나가 배고파 헛소릴 했는게비여, 내가
지금 뭔 말을 했댜?

처화   어른께선 도사지라이? 말 안 혀도 앙게 아따 우리 집으로 한
번 가십시다. 나가 스승으로 모실랑께 좋은 말이나 해주시
요이.

거지   그려, 그럼 먼저 해장국을 고봉으로 시켜 줘 봐 막걸리도 한
됫박주고 그러믄 내가 한마디 해보제.

(해장국에다 막걸리 술상이 차려지고 거지는 허겁지겁 먹
는다.)

처화   큰 꿈을 누가 먼저 깨칠건가 내 스스로 아노라 내 스스로 아
노라 이게 뭔 말이다요?

거지   내 스스로 아노라. 내 스스로 아는데 그걸 무더러 물어본댜?

니 스스로 알아야제.

처화   아따 그걸 모릉게 물어보죠.

거지   이런 니미 씨, 그것을 알았다믄, 이렇게 길바닥에 나앉는 거
      지꼴이 됐것어!

      나도 부모 덕분에 글줄께나 알지만, 부모 죽자 세상에 되는
      일이 없어 재산 날리고 처자식과도 헤어진 채 병든 몸을 끌
      고 다니는 신세, 나가 뭘 안다고 이러는 거여?

      도사? 지랄하고 자빠졌네 도사가 어디 있어?

      도사가 있다면 조선이 망했것어, 전봉준이 세상을 구하는
      도사를 자처했지만 광화문 네거리에 목 매달렸고, 보다시피
      글줄께나 읽은 선비는 그지가 됐다, 도사는 없당게!

      (처화는 절망하여 그냥 덜렁 드러누워 버린다.)

아버지   바라, 니 요즘 어딜 그렇게 싸돌아 댕긴디야?

처화   다시 삼밭재 댕기고 있당게요.

아버지   또 산신 만날라고?

처화   없는 산신을 어-서 만나요.

아버지   궁게 그 없는 산신을 무더러 찾고 지랄이냔 말이여.

처화   집에서는 아무 생각도 못 허겄응께, 답답해서 그런당게요.

      거그는 풀 한 포기, 돌 한테꺼정 정이 들었응게.

      감시렁 옴시렁 생각하고 거그꺼정 가서 쪼까 앉았다 오는구

만이라우.

(처화 나간다)

아버지 아조 거그다 집을 지서라 집을 지서.

(자막) 1910년, 20세 노루목

(그림막7) 해와 달이 하나로 겹쳐지고

일식이 온다

가부좌 튼 처화의 몸 뒤에서 광배의 빛이 스며 나오고

처화의 몸에서 증기가 서리더니

처화의 입에서 한줄기 광선이 뿜어져 나오면서

처화 몸을 부르르 떨더니 천천히 움직이기 시작한다.

온몸에 열기가 솟고 찬란한 광채 황홀한 음악이 들린다.

처화 (처화의 독백)

그래, 여그야 말로 내 독공처로다.

이제 낮도 없고 밤도 없다.

이제 나 스스로를 통제하는 일이다.

아직도 내 몸은 내 의지대로 움직여주지 않는다.

그래도 내 혀 내 눈 내 귀와 살갗은 반란을 일으키지 않는다.

내 굶주린 위와 창자도 내 고통에 길들여졌다.

그러나 잠이 나를 덮친다. 아무리 가부좌를 틀고 앉아 팔약

근을 당겨 항문을 오므려도 잠이 나를 침범한다.

아니다, 다시 단전에 불을 지펴 보자.

불꽃의 폭을 더 좁히고 의식의 칼날을 끝까지 몰고 가자.

불꽃은 이제 새파란 빛을 발하면서 소리는 사라지고 불꽃은
움직이지 않는다.

이윽고 내 의식도 사라진다.

우주와 내가 따로 없고 세계와 내가 하나 되는 순간 호흡도
거의 그치고 심장도 느릿하게 잠든다.

시간도 처소도 잊고 나 자신도 잊어버린다.

입정의 시간

추위도 목마름도 없다.

이 무렵 내 깊은 곳에서 잔잔한 흥분이 밀물처럼 솟구쳐 오
른다.

무명천에 베어드는 핏물처럼 소리도 없이 스며들어 손끝부
터 발끝까지 온몸이 뜨겁게 달궈지고 아, 신음이 터진다.

신음이 주문이 되어.

(No6. 최초의 전언/창작범패)

　　　우주신 적기적기

시방신접기접기

일타동공일타래 이타동공이타래 삼타동공삼타래

… 십타동공십타래.

몸의 움직임이 춤이 된다.

(암전. 어둠 속에서)

아우 한석　　성님! 성니임!

(산새소리와 함께 날이 밝는다. 가부좌 튼 그대로 잠을 깨는 처화)

처화　　한석이 야가 여까지 뭔일이디야?

한석　　성님 어쩨쓰까 모르것소이. 어제 저녁에 집에서 난리가 났
　　　　는디, 성님 안 계싱게 어매만 고상 안 혔소.
　　　　아부지가 돌아 가시자 지주 조승지 아들 조 박사가 아부지
　　　　가 진 빚을 갚으라고 난리요. 지금 조박사가 보낸 해결사가
　　　　달구지를 끌고 와서 빚을 안 갚으믄 정게 가서 솥부터 떼가
　　　　겄다고 겁주드랑게라우.

(자막)　　　1911년 21세
　　　　　 귀영바위 흙구덩이 터 오두막

(그림막8)   귀영바위 흙구덩이 터 오두막

길룡리 어른 김성서가 바랭이네를 데리고 나타난다.
바랭이네는 아이 둘 (실제 아이1. 인형1) 까지 달렸다.
남루하지만 날렵한 차림새 곰보로 얽었지만 귀염성 있는 여인네 모습이다.

김성서   여봐라, 처화야, 내가 그래도 네 죽은 아부지 성삼이와 친구
            지간으로서 네가 이렇게 처참하게 무너지는 꼬라지를 차마
            못보것다.
            이제부터 내 말을 잘 듣고 조박사네 빚을 갚을 궁리를 해라.
            (바랭이네를 앞으로 내세운다. 바랭이네 조금 쑥스러운 듯
            나서서 배시시 웃으며 처화를 힐끗 본다.) 이 애가 바랭이네
            다, 읍내 사는 우리 누이 수양딸인디, 과부가 되어 아이 둘
            데꼬 친정이라고 돌아와 살고 있다. 젊은 나이에 혼자 사는
            꼴이 싫어서 나를 볼 때 마다 임자 하나 찾아주라고 성화를
            내던 터, 네가 바랭이네와 주막을 하나 차리는 것이 어떠냐,
            마침 귀영바위 길가에 쓸 만한 오두막 하나 봐 두었는데, 거
            기라면 법성포로 가는 길손들도 많아 술장사 밥장사가 잘
            될 것이다.

처화   (기가 차서) 말하자먼 저 보고 저 과부 기둥서방이나 허라
            이 말씀이지라 허허 참말로.

74

(껄껄 웃는다. 바랭이네 부끄러워서 어쩔 줄 모르고 맴을 돈다.)

김성서 왜, 싫어? 그라모 없던 일로 허자,

처화 허기사, 빛 가리자는 긴데 기둥서방임 어떻구, 기생서방임
어떻겄소. 그라도 저 여자가 누군지는 알아야 허지 안것소.
(바랭이네를 보고) 여보시오, 당신이 누구다요?

바랭이네 (척 나서며)
(No7.바랭이네의 네시타티브/판소리 아니리조)
나는 1884년 전남 나주군 영산포,
그러니까 바로 여그서 태어났다 안 허요,
그란디 나가 네 살 때 집 밖에서 놀다가 엿 사준다는 낯선
사람 등에 업혀서 유괴를 당했다요.

처화 예라이 엿 먹고 싶어 따라 갔구만.

바랭이네 아홉 살 때 꺼정 엿장수 딸이 되어 돌아다니다가 흉년이
들고 먹고 살기 힘들어지자 나를 다시 영광읍 김 진사 댁
에 팔아버린 것이오.

처화 영광읍 김 진사라면?

김성서 내 처남이지 그래서 내 누이 수양딸이 된 거여.

바랭이네 (아니리조 소리)
열일곱에 장성 사는 문재환이헌테 시집가서
스물한 살에 아들 하나 낳았는디,

아그 이름을 바랭이로 하다보니 나가 바랭이네요, 홋호

스물세 살에 남편이 병들어 디지고,

대장장이 박판동이 허고 재혼을 하여,

다시 스물여섯에 아들 옥봉이를 낳았소.

(인형을 앞세워 보여준다)

그란디, 시상에 외지에서 들어와 살던 박판동이가

어느 날 깜쪽같이 마을에서 사라져 버렸소.

외지에서 흘러 들어올 때 사실 본처와 가족들이 있었던 거

요, 참 지지리도 못나고 복이 없는 이내 신세,

시방 사내아이 둘 데불고 지가 뭘 해야 헌당가요?

김성서   처음 시작할 때 처화 니가 쌀이고 돈이고 쪼까 대줘라. 글먼

저년이 잘 혀나갈거여. 낯바닥이 얽엇어도 몸매는 제대로

빠진 년이여.

(이때 무대는 벌써 처화의 처 양씨와 어머니 유씨가 바랭이네를 훑어본다.)

처화   (면구스러운 듯 양씨에게) 어이, 속 끓이지 마소. 당신도 알

다시피 지금 내 형편에 찬밥 더운 밥 가리것는가? 더구나 내

가 집에 있어봐야 짐만 되지 뭔 보탬이 되것소. 저 바랭이네

허고 주막이나 해볼라네.

아내   (선뜻) 집엔 자주 오소.

(그림막9)　　　귀영바위 오두막에 주막집이 차려진다.

처화가 큰 솥단지를 들고 들어와 놓는다. 코러스들이 물동이 밥상 술대접을 날라오고 길손들이 기웃거리기 시작하면서 바랭이네의 감칠맛 나는 움직임. 여덟 살짜리 바랭이가 술상을 나른다.

처화는 그냥 평상에 앉아 있다.

장사치들이 몰려오고 흩어지면서 바랭이네에게 접근하다가 바랭이네가 털썩 처화 앞에 앉아서 교태를 부리면 혀를 끌끌 차며 사라진다.

바랭이네의 소리짓과 몸짓이 좌중을 압도한다.

처화는 떠들썩하고 유쾌한 난장에서 낯선 이방인처럼 어둡고 우울하다.

달이 뜬다. 처화는 문득 명상에 잠긴다.

바랭이네　　저그 처사 양반, 쌀도 얼매 없고 술 살 돈도 없는디 인자 어떡할라요?

처화　　　　아이고, 애시당초 허울 좋은 처사 노릇 헐 바 아니지만, 너도 인심 좋게 밥이고 술이고 덥썩덥썩 주고는 대개가 외상이니 앞으로 남고 뒤로 밑지는 것 아니냐. 너나 나나 이거 헐 짓이 아니다. 그간 수고했응게 주막 문 닫고 친정으로 가소. 나도 집으로 가야 쓰것네.

바랭이네　　(바싹 안겨붙어 매달리며) 하이고, 나는 처사 양반 하늘 맹키로 믿었는디, 마른하늘에 날벼락도 유분수지 이 말썸이 웬말이오. 나가 이렇게 남자 복이 없는 팔자니 차라리 저 법

성포 바닷물에 풍당 빠져 디져불라요. (섧게 울며 일어서는
데, 처화가 성큼 바랭이네를 잡아 당기며)

처화   이 일을 어찌할거나 어찌할거나

(바랭이네가 옆구리를 붙들고, 바랭이가 처화의 다리를 잡
고 매달린다.)

처화   허참, 이 일을 어찌할거나.

(그림막10)   귀영바위 오두막에 아침 해를 띄워 올린다.

이인명   조카 있능가?

처화   어서 오소, 아재.

이인명   조카야, 내가 이번에 탈이섬으로 장사나 가볼까 헌디 너도
            같이 갈래. 고생이야 되것지만 돈은 벌 수 있을 것이다.

처화   조기 파시도 다 끝날 판인디, 인제사 탈이섬에 가서 뭐 한답
            디여?

이인명   조기 파시야 칠산 바다 야그지, 탈이섬 파시는 민어 아니당
            가. 민어는 시방부터 시작이랑게.

바랭이네   (슬쩍 끼어든다) 민어는 조기보다 두 배나 되고, 그 맛도 담
            백하면서도 단맛이 나요. 매운탕도 좋지만 횟감으로 최고여.
            일본놈들이 민어회를 좋아혀서 이맘때면 일본배들이 민어
            를 사가려고 탈이섬에 배를 대놓고 기다리고 있다믄서요.

이인명   배편도 알아뒀응게 닷새 말미 동안 준비를 허소, 비용은 나

가 빌려줄 것잉게.

조카는 엄니랑 식구헌테 서너달 떠나 잇을거라 말혀.

처화   그라모 아재만 믿고 그리 헐라요. 나야 빈털터리 주젠게 그
리 아시고.

(짐을 싸는 바랭이네를 보고) 임자는 뭣헝가?

바랭이네   나도 갈라요.

처화   어린 바랭이랑 옥봉이를 두고 어딜 따라간단 말이오. 딴 생
각 말고 여그 있으소, 내가 돈 벌어 올텐게.

바랑이네   나도 가면 쓸디가 없지 않을 것이구만요. 밥도 허고 빨래도
해야지 안것소. 공밥은 안 막을랑게 데려가 주시요.

처화   섬에서 열리는 파시는 인생 종착지여, 산 사람들이 가는 막
장이란 말이여. 어지간한 사람은 살아남기 힘들걸.

바랭이네   그려, 내가 막장 인생이오. 처사 가는 곳이 지옥이라 혀도
같이 갈텡게. 염려 놓으시오. 애들은 읍내 수양 할머니에게
잠시 보낼거고만 그렇제, 너네들이 잘 기다릴 수 있것제.

바랭이   야, 잘 다녀오시오.

(자막)   1911년 6월 상순부터 10월 하순

(그림막11)   법성포에 뜬 배는 칠산도를 서쪽으로 바라보며 남서로 항해한다.
그러다가 각시도를 옆에 끼고 한동안 남하한 뒤 다시 낙월도를 북
쪽으로 바라보며 서진하여 마침내 임자도 북쪽 연안에 딸린 탈이
섬에 도착한다. 이 모든 항로를 그림자 막이 표현해 낸다.

처화는 닻을 잡고 바랭이네는 솥단지 냄비 밥그릇 수저 등을 챙기고, 이인명
과 유성국이 쌀자루를 들고 와서 배에 싣는다. 뱃꾼들이 스스로 배가 된다.

(No8. 뱃노래/남녀 합창)

　　　　　　어이사나 어이디야 어기야뒤야

　　　　　　바다에 떴네 어-디야 어-어야

　　　　　　뒤산은 점점 어거디여

　　　　　　멀어지고 아-자차

　　　　　　앞산은 점점 어-허-

　　　　　　가차진다 어거디야

(자막)　　　　탈이섬

(그림막12)　　탈이섬

탈이섬 객상 부부가 마중 나온다.

객상　　　어서오시오. 나가 여기서 십년 째 파시를 열고 있는 나까무
　　　　　　라여.

이인명　　 일본 사람이오?

객상　　　사실은 나가 한때 목포에서 떵떵거리는 어장 중매인이였지
　　　　　　라. 지금은 쫄딱 말아먹고 여기 탈이섬에 와서 파시를 열고
　　　　　　있소.

이인명	근디, 와 일본사람 행세를 하시오?
객상	그게, 긍께. 여기서 잡은 민어는 전부 일본사람한테 팔아넘기지라. 그래서 일본말을 쓰고 일본이름을 쓰는 것이 훨씬 편하당께. 실은 내가 밀양박씨여.
처화	밀양박씨라믄 본관이 나하고 같소. 종씨를 봉께 참말로 반갑소잉. 이름은 처화고 서른넷 규정공파지라.
객상	하이고, 지도 규정공파지라. 이름은 … 10년 동안 안 써 갖고 까묵어부렀네. 그냥 나까무라 박이라 하소.
여주인	가만히 봉게, 이런 험한데 오실 어른이 아닌 것 같은디, 뭔 사연이라도 잇당가요.
처화	아이고, 빚을 갚을 길이 막막해서 왔지라우.
객상	그러면 여기서 희망을 붙잡아야제! 여기 머무를 집 한 채와 고깃배를 대줄 테니, 여러분들은 나가서 고기를 잡아오소. 잡은 고기는 여기오는 일본상인들에게 팔고 그 이문을 우리가 나누는거여.
여주인	황금고기떼만 만나면 한 밑천 톡톡히 잡지라. 그때는 우리 다 탈이섬을 떠나는거요. 그렇죠 여보?

(No8-1. 탈이섬의 뱃노래-황금비늘)

　　　　(줄당그는 소리)어야뒤야 어야뒤야 잡어 댕거라 어야뒤야
　　　　수만금 벌어다가 어야뒤야 나라도 봉사허고 어야뒤야 부
　　　　모처자식 어야뒤야 먹여살려야 할 거 아니냐 어야뒤야 잡

어를 댕겨라 이놈들아 어야뒤야 (그물 당그는 소리)어야
뒤야 어야뒤야 황금같은 어야뒤야 민어가 노적벼늘이로
구나 어야뒤야 심을써서 어야뒤야 어서잡어당거라 어야
뒤야 민어빠진다 어야뒤야 황금같은
어야뒤야 비늘이 빠진다 어야뒤야 (조기 퍼올리는 소리)
어야차 받어라 어야 받어라 어야 받어라 어야받어라 이바
지가 어야받어라 누바지냐 어야받어라 한손에 둘씩 어야
받어라 어서 받어라 어야받어라.

(그림막13)   파시 풍경을 펼쳐 보인다. 실제 민어 떼들이 바다 위를 튀어 오르는
              장면 같은 장관이 펼쳐 진다.

(No8-2. 탈이섬의 뱃노래)
              이여차디여차 닻둘러매고
              칠산바다에 돈실러 간다
              어-어 어-어 어하요
              궁마 궁마 궁마 (징을 세 번 때리는 소리 구음)
              어떤 사람은 팔자가 좋아 부귀로 잘 사는디
              우리는 어쩌다보니 이놈의 배만 타서 먹고 산다
              어-어 어-어 어하요
              바람아 강풍아 부지를 말어라
              우리 영감님 칠산바닥으로 돈실로 갔네

어-어 어-어 어하요.

(그림막14)   객주집 방 창호지 문살

객주집 안주인이 붉은 비단 이불을 한 채 가지고 와 간다.
그리고 회와 일본 정종(청주)이 놓인 상이 놓인다.

여주인   어서 오시오.

처화   객주 어른은 어디 계시오.

여주인   오늘 아침 목포에 갔는디 한 이틀 뒤에 온다고 혔소.

처화   아따 그라믄 날 부른건 객주 어른이 아니라.

여주인   나요 바로 나. 남편도 없어 집안이 적적하여 당신을 불렀소.

        자 한잔 하시고,

        (처화 술을 들이킨다.)

        회도 드시오.

        (젓가락질로 입에 넣어주는 회를 먹는다.)

처화   어허, 바깥 양반 없는 집에 외간남자가 좀 그렇소, 나 갈라요.

        (하고 일어서는데) 어허라, 신발이 없네

        (여주인을 돌아보며) 신에 발이 달릿나?

여주인   (그대로 품에 안기며) 내 가슴에 묻어 두엇소, 꺼내 가시오.

처화   어하라, 겁나게 나가는디 이 마군을 어쩐디야.

여주인   (처화의 목에 깍지를 끼며 붙는다) 못 보내오, 이대로는 못

83

보내오.

여주인 육감적으로 달려들고,

처화, 여주인의 욕정을 뿌리쳐 내면서 맨발로 달려 나온다.

처화   (No9. 생기로다/판소리)

              생기로다 생기로다 모두가 다 생기로다!

              여기 세상의 끝 탈이섬에서도 살려고 하는 꿈틀거림으로

              가득 차 있다 하나도 죽은 것이 없다.

              우주 만물이 다 생생약동하는 기운으로 충만해 있구나.

              아하, 이 일을 어찌할꼬!

              이 불을 어찌할꼬!

불이 꺼지고 달이 뜬다. 구성진 소리가 밤바다를 가로질러 간다.

바랭이네 혼자 앉아 있다. 처화가 맨발로 털레털레 걸어오고 있다.

처화 바랭이네 손을 잡고 부드럽게 말한다.

처화   자 이제 탈이섬을 떠나세.

              나는 돌아가려네.

바랭이네   어디로 가시려고요?

처화   내 속으로 내 속으로 들어 갈라고.

바랭이네   거그가 어딘데요.

처화	나도 모르것네. 아직 안 들어가 봐서
	자 배를 타세.

(그림막15)　　다시 탈이섬 바다풍경

법성포로 떠나는 돛이 펄럭이고 객주 여주인의 이별가인 듯 통곡인 듯 구성진 소리를 따라 배는 떠난다.

이른 아침 해를 받고 떠난 배는 임자군도 해역을 지나 잘도 나아갔으나, 서쪽에서 구름이 몰려오고 그동안의 풍어를 시샘하듯 비바람이 폭풍우로 발전하고 배는 요동치기 시작한다. 마침내 킷다리가 부러지고 풍석도 찢기고 돛줄은 끊어진 채 배안으로 물이 밀려든다. 선객들은 울고 불고 아우성인데 선원들도 키를 놓고 울부짖는다.

처화는 가부좌를 튼 채 파도따라 움직이다가 문득 눈을 뜬다.

처화	(선원에게 성큼 다가가 따귀를 두세 대 후려 갈긴다.)
	이 못난 놈아! 이 많은 목숨이 너를 믿고 있는디 너가 정신을 못 차리고 이러능거!
	(울부짖는 배안의 사람들에게 준엄한 말을 내린다.)
	사람이 아무리 죽을 지경을 당한대도 정신만 차리면 살길이 있는 법이오.
	모두들 평소 지은 죄를 하늘에 고백하고 앞으로 바로 살것다 저마다 참회하시오.

그러면 천지신명도 감응해서 이 비바람을 잠재울 것이오. 하늘이여 바다여 바람이여 우리를 바른 길로 인도하여 주소서.

4장. 강변입정상

(자막)   노루목 삿갓 초가집

(그림막16)   노루목 삿갓 초가집

영촌 개울가에서 아낙들의 입방아 찧는 소리

복돌네   거그, 장촌 양반 소식 들었당가? 아, 어제 우리 집 양반이 봉께 장촌 양반 그 사람이 귀영바위 앞에 우두커니 서 잇더래. 다가가 다시 봉께 글씨 바지춤을 내리고 있더라. 뭔가 소피를 보고나서 고의 추키는 걸 잊어 불고 정신없이 고로코롬 서 있더란 말이제.

아낙1   그럼 그것도 내 놓은 채?

복돌네   암만 내 놓은 채지 깔깔깔.

아낙1   시상에 깔깔깔.

아낙2   지두 우리집 양반헌테 들은 야그가 잇구만요.

복돌네   무신 어디 히봐.

아낙2	법성포 장날인디, 아침에 장촌 양반이 선진포 나루엘 나왔
	드래요. 그란디 배를 탈 때가 되어도 장촌 양반이 보이질 않
	드래요.
	그래서 장을 보고 저녁나절이 되야서 나루에 내려봉께, 장
	촌양반이 땡볕에 땀을 뻘뻘 흘림시로 허공을 바라보고 있더
	랑께요.
	긍께 아침나절부터 그때꺼정 고대로 꼼짝않고 고라구 있었
	더랑께.
복돌네	이건 바랭이네한티 직접 들은 야근디.
	(바랭이네 등장, 아낙네들한테 말한다.)

바랭이네	(No10. 바랭이네 사설/판소리 아니리조)
	내가 조반상을 차려주고 김매러 밭에 나갔다가 점심때도
	한참 지나서 들어왔어, 그란디 봉게 장촌 양반이 밥을 먹
	을라고 비벼놓고 숟갈을 한 손에 든 채 멍허니 넋을 빼고
	있는게라우 파리란 파리는 다 모여들어 밥이고 찬이고 새
	까맣게 붙었는디, 글씨 ….
복돌네	추접해서 저걸 어쩐대 ….
바랭이네	생활 형편이 말이 아니지라우 장촌 양반 본가에서는 먹고
	살기가 어려워져서 하나 밖에 없는 아우 재석이를 재당숙
	양자로 보내고, 어머니 유 씨마저 작은 아들 따라 가 버리
	고, 양씨 혼자 아등 바등 농사라고 지어야 입에 풀칠하기

빠듯한디, 수행을 마치고 오랜만에 돌아온 장촌 양반허구 합방을 혔는지 양씨 배가 불러오고, 아이고 ….

아낙2　　아니, 바랭이네는 그동안 뭐했대요, 그라도 기둥서방인디 ….

바랭이네　나도 입에 풀칠할라고 남의 집 김매러 다니고 밭일 나가 품삯 받고 허지만 일거리가 자주 있는 것도 아니고 밖으로 나돌아 다니니까, 장촌 양반 혼자 귀영바위 주막집에 있으니 합방할 시간이 있간디, 나가 때때로 푸성귀 나물, 쑥, 호박, 감자 같은 것을 섞어 죽을 쑤어서 근근이 끼니를 대는데, 그것도 장촌 양반이 잘 안 먹어서 하루 한 끼도 굶기도 하고, 이틀 물만 마실 때도 있으니 하이고 ….

아낙1　　(주막집에서 어기적어기적 천천히 걸어 나오는 처화를 보고) 아이그, 저 꼴 좀 보소 상거지가 따로 없구만.

바랭이네　장촌양반 거동 보소,

배는 물동이 얹어 놓은 것처럼 부어서 북통같고,

온몸에 부스럼딱지가 함빡 돋아 건드리지 않아도 피고름이 흐르고,

저것 봐, 저것!

(피딱지가 굴 껍데기처럼 닥지닥지 달라 붙었다.)

감지도 않은 머리는 까치집을 지었고,

영양부족으로 얼굴은 누렇게 뜨고 살집은 부어서, (몸을 꾹꾹 눌러보며) 여기저기 툭툭 물러터졌는디, 부스럼은 악

성이라 몸에서 피딱지를 한 되박이나 뜯어낸 적도 있소.

(처화 기침을 해댄다. 한번 기침을 해대면 숨이 꼴깍 넘어

갈 지경이 된다.)

수행한다고 한 겨울에 빈 정자에서 군불도 때지 않고 지내

다 보니 저렇게 기침병이 들어서 다 죽게 생겼소.

인자는 정신꺼정 오락가락 하는지 사람을 못 알아 보요.

이것 봐 지금 정신이 나가 있어,

지금 어디로 돌아다니는 거요? 지옥이오 극락이오?

젠장 대답도 안 혀,

이러구 온종일 귀영바위 앞에서 우두커니 장승처럼 서 있

으니, 이게 어디 사람이어 귀신 행색이지.

아낙2	하이고 지난 겨울 수행을 지나치게 해 버렸는 갑네.
바랭이네	그렇게 어려운 수행의 경계를 넘었는디
	(홀쩍) 장촌 양반이 왜 저렇게 되어 부렀으까.
아낙1	흉년이여, 아무리 도를 닦아도 흉년이 들어
	땅바닥이 갈라지고 나무가 타들어가믄 어쩔 수 없지라.
	장촌 양반이 아무리 큰 도를 깨치고 시상에 내리왔다 혀도
	가뭄과 흉년은 해결 못하는거지라.
	나랏님도 목 막는 가뭄을 어떻게 해.
아낙2	인자는 나랏님도 없잖여.
아낙1	그랴, 나라도 없고 희망도 없재.

바랭이네	헛소리 말어, 희망이 여기 있잖여.
아낙1	저 용천뱅이 거튼 양반이?
바랭이네	나는 알어, 희망이 쉽게 오겄어?
	저렇게 힘들게 익어가는기 희망이여.

바랭이네는 옷 입은 채 우물에서 물을 길어 온몸에 붓는다. 그리고 귀영바위 턱에 정화수를 떠 놓고 기도한다.

바랭이네	비나이다 비나이다 천지신명 전에 비나이다.
	우리 처사 양반 씌운 잡귀 다 물리쳐주시고 병마가 물러나게 해주소서.
	또 빌고 비나이다. 우리 처사 양반 발목하여 영광 고을 원님 되게 하옵소서.
소리(처화)	(울린다) 바랭이네, 거그가 나를 위해서 기도 허는 것은 고맙네만, 고작 영광 고을 원님이라니, 당치 않소.

바랭이네 반가움에 몸을 화들짝 떨며 돌아본다.
석상처럼 서 있는 처화
바랭이네, 처화가 깨어나자 반가움에 와락 달려들어 처화의 배통을 끌어안는다.

처화	기왕 공을 들일랴거든 이리 허소.

(No11. 염송/창작범패)

　　　신묘생 박처화 만국 만민 다 구제허고 일체 생령 제도허는
　　　성자 되기를 비나이다.

바랭이네　　　(즉시 무릎을 꿇고 손을 비빈다.)

(No11-1. 집단 염송)

　　　신묘생 박처화 만국 만민 다 구제허고 일체 생령 제도허는
　　　성자 되기를 비나이다.

2막. 교의편

5장. 장항대각상

(자막)　　　1916년 4월 28일 26세 노루목

(그림막17)　　노루목 집

처화　　　(No12. 게송/정가)

　　　　　청풍월상시에

　　　　　만상자연명이로다

바랭이네　(황홀한 듯 바위에 쪼그려 앉아 턱을 괴고 말을 붙친다.)

　　　　　뭔 소리지라우 처사어른?

처화　　　맑은 바람이 구름을 걷어간 후 동산에 보름달이 둥실 떠오

　　　　　르매 어둠에 쌓였던 삼라만상이 절로 환하게 드러나는 격

　　　　　이로구나

　　　　　(기쁨에 겨워 바위 위에서 소리친다) 보소, 바랭이네!

　　　　　내가 인자 소원 성취 했소.

　　　　　자네가 그동안 고생하고 기도한 정성이 통했나 보오. 인자

　　　　　모를 것도 없고 못헐 일도 없는 것 같소, 날아갈 것 같은 기

　　　　　분이오.

바랭이네　시상에 처사어른 몸에 붙은 부스럼딱지가 다 사라졌소, 어

디서 몸을 씻었소.

처화   바람 구름 저 달빛에 내 번뇌와 육신을 다 씻어 버렸네.

바랭이네   처사어른이 득도했으니 나도 좋지라.

처화   바랭이네, 자네가 내 첫 제자네 인제 나를 따르것능가.

바랭이네   물론이오.

처화   그랴, 인자 내려갑세.

        (김성섭이 온다.)

처화   형님 내가 드디어 의문을 풀었소, 인자 공부를 마쳤소, 고맙
        소 행님.

김성섭   아우님, 그래 다 풀고 봉게 그 도가 무엇이당가?

처화   (No12-1. 정가)

        만유가 한 체성이며 만법이 한 근원이로다.

        (대화체) 이 가운데 생멸이 없는 도와

        인과 보응되는 이치가 서로 바탕하여

        (정가체) 한 두렷한 기틀을 지었도다.

        (대화체) 이만 허면 알만 허요?

김성섭   무신 뜻인지 짐작도 못허것지만, 자네가 득도헌 것은 알것
        네. 자네는 지금 꺼정 그렇게 찾아 댕기던 도인이 되었구나.
        그래, 인자 어찌케 하실 양인가?

처화   형님, 우선 내 도를 전할 사람들을 모아주시오.

        그리고 내가 유불선에 서교까지 경서라는 경서는 모조리 한
        번 열람을 해야쓰게, 그것들을 구하는 대로 모아주시요.

김성섭	그 많은 책들을 언제 다 읽어 내겠는가?
처화	나는 결코 문자풀이에 매달리지 않을 것이오. 한 끝에서 다른 끝으로 훑어 보는 것으로 충분하오.
	공자, 석가, 노자 혹은 예수나 수운, 증산까지 시공을 뛰어넘어 그들과 친해지고 싶소. 바로 말이 통하고 뜻이 맞아 거칠 것이 없을 것이오.

(자막)　　　1916년 5월 이씨 제각

(그림막18)　　이씨 제각

박중빈이 제각 가운데 앉았고, 김성섭이 한지에 쓰인 이름을 읽는다.

김성섭	거듭 중, 빛날 빈- 박중빈이라.
박중빈	새로운 시대와 세계 속에 스스로의 입지를 세우고 경륜을 자각하기 위해서는 새로운 이름이 필요합니다.
	박중빈. 인자부터 이게 내 이름이오.
김성섭	우리 모임에 같이 할 사람을 데리고 왔네.
	같은 면 천정리에서 훈장 노릇을 하는 김성구라 하지라.
	학문이 깊어 열일곱 살 때부터 훈장 노릇을 하고 있제.
박중빈	자네가 천장봉 아래 훈장 노릇을 해서 문자 속이야 상당허겠지만, 대장부라면, 성인의 도덕을 펴서 도탄에 빠진 생령을 구허는 큰일을 해야 쓰지 않겠능가?

김성구	야아! 내가 아직 그런 큰일을 감당할 힘은 없지만서두 함께 정성을 모으기로 약속허지라우.
	(유성국이 들어와서 무릎을 꿇고 큰절을 한다.)
박중빈	아이고 외숙이 왜 이런다요?
	열한 살 아래인 조카 앞에 무릎을 꿇고 이게 무슨 경우라요?
유성국	조카님, 이제부터 조카님을 스승님으로 모실라네. 부디 내 여행을 인도해 주시게. 내가 일찍이 수운 대선사를 하늘맹키로 받들었지만, 인자 가까운 데 스승이 있는디 뭐땀시 멀리서 도를 구허것능가?
박중빈	외숙이 지금꺼정 내 든든한 후원자가 되야주셨듯이, 대도회상 창립에 주춧돌이 되야주시오.
유성국	이인명이도 동참할 의사를 내비쳤네.
박중빈	그분은 나를 탈이섬으로 데리고 가서 돈을 벌게 해준 은인입니다.
김성섭	여기 이 사람은 오재겸이라고 학산리 이장인데 집 짓는 재주가 있네.
오재겸	여그 나하고 같이 온 사람도 있지라. 내 사돈 간인 이재풍이오. 부친이 동학 접주로 갑오년 기포 때 선두에 서서 농민군을 지휘한 집안이오.
이재풍	군서면 학정리 신촌 불덕산 밑에 사는 이재풍이라 허요.
박중빈	반갑소. 나와 같은 신묘생이라 헝게 더욱 반갑소!
	어르신께서도 동학에 들어 나라와 백성 건지는 일을 허셨

다는디, 우리 힘을 합쳐 세상 바루고 사람 건지는 일을 해봅
시다.

재풍이, 학정리서 불갑사꺼정 거리가 얼마나 될라나?

이재풍 한 10리 되지라.

박중빈 부탁이 하나 있는디 ….

불갑사 가서 〈금강경〉이라는 책이 있는가 알아보고, 있거
든 한 권만 얻어 오소. 내 꿈 속에서 기골이 장대하고 풍채
가 좋은 도승 한 분을 만났는데 그 분이 내게 '금강경을 아시
오?' 묻더라고.

'못 본 책인디 보면 알 듯도 하요' 했더니 그 책을 잘 읽어보
시오. 그리고 가버렸어.

(그림막19) 목판본 금강경의 본문을 넘긴다.

김성섭 아우님은 그거 다 아시겠능가? 나는 광산 김씨 족보 편찬 작
업을 삼 년이나 해서 한문을 어느 정도 읽지만 사실 글이 짧
은 아우가 유불선 경전을 얼마나 알고나 보는지 미심쩍어
모르겠네.

박중빈 불가의 반야경에선 '색즉시공 공즉시색'이라 했고,

유가의 주염계는 '무극이 태극이니 태극이 무극'이라 했고,

선가의 노자 도덕경에선 '무위자연'이라 했고,

동학의 동경대전에선 '불연기연'이라 했지.

이게 다 같은 말이지라.

공이니 무극이니 무니 불연이니 하는 거나 색이니 태극이니 자연이니 기연이니 하는 것이 죄다 같은 소리라.

지극히 청정하여 자취가 없고 참으로 비었다는 것이요. 그러면서도 그 가운데 묘하게 있다는 게요.

김성섭   아우님, 야소교도 통헐 만허요?

박중빈   암만! 서양 사람들 말튼게 본새는 다르지만 뜻은 같지라우. 여그 보소. 〈요한복음〉이라. '태초에 말씀이 계시니라. 그가 태초에 하나님과 함께 계셨고 만물이 그로 말미암아 지은 바 되었으니, 여그서 말과 만물이 곧 그 소린기라.

무극이 태극이고 공즉시색이고 무위자연이지라.

형님, 우리 모임 한 번 가집시다. 날짜는 이번 초엿새날 밤이 좋겠소.

(자막)   1916년 12월 이씨 제각

이씨 제각을 나서는 사람들

남1   그 사람 도통을 허기는 헌 것이여?

난 무슨 신통헌 소리가 나올랑가 기다려도 물에 물 탄 듯 술에 술 탄 듯 싱겁더만. 거 다 뻔한 소리 아니여!

남2   틀린 야그는 한 마디도 없더만. 그러긴 혀도 좀 허전허긴

혀. 뭣에 홀린 것도 같고 속은 것도 같아서.

남3   뭐 하나라도 도통한 소리가 있어야제 ….

남4   뭔 큰 병이 걱정이라 혀서, 난 염병이나 호열자보다 더 무서
            운 병이 오나 겁을 잔뜩 먹었더만 ….

유성국   쩌그, 나는 다 좋드만 사람들은 쪼까 달리 생각허는 갑소.
            (사람들 가 버리고 중빈이 나온다.)
            사람 입맛이 노상 먹는 밥과 물보단 떡과 술이 더 댕기는 거
            맹키로, 도통헌 말을 듣고 신통스런 걸 보고 잪아혀.

김성섭   내사 아우님도 통헌 걸 믿지만, 남들은 그 증거를 보고 잪다
            안 허요?
            말도 벨스럽고 허는 짓도 벨스럽고 ….
            긍게 앞으로는 말도 여그 촌사람맹키로 말고 경기 양반 말
            로 고준하게 허고, 거 남들이 깜짝 놀랄 신통도 보이고 허소.

박중빈   말투 야그는 알겄소. 잘 될랑가 모르겄소만, 될수록 사투리
            를 삼가고 고준허고 점잖은 말씨를 가려 쓰기로 해봅시다.

6장. 영산방언상

(자막)   1918년 3월-1919년 3월
            정관평
(그림막20)   옥녀봉에서 내려다 본 간석지

박중빈   자, 이 갯벌을 보시오.

해수면이 점차 낮아지면서 갯벌의 태반은 그저 쓸모없는 행
자밭, 버려진 땅이 되어가고 있지 않소?

여기다 언을 막아 논을 만들어 우리 조합의 기본 자산으로
삼고자 하오.

사람들이 측량을 하고, 물막이용 청솔을 베어오고, 말뚝과 재목을 준비한
다. 삽과 가래, 지게와 수레를 끄는 노동현장을 보여준다.

(No13. 노동요)

어이사나 어이디야 어기야뒤야

바다를 막아 어-디야 어-어야

방둑을 쌓아라 어거디여

삽질하고 아-자차

흙을 날라라 어-허-

돌을 쌓아라 어거디야

(줄당그는 소리)어야뒤야 어야뒤야 잡어 댕거라 어야뒤야

바닷물 막아서 어야뒤야 새땅을 만들어서 어야뒤야 볍씨

를 심자 어야뒤야 먹고살아야 할 거 아니냐 어야뒤야 잡어

를 댕겨라 중생들아 어야뒤야 (돌을 밧줄에 묶어 당그는

소리)어야뒤야 어야뒤야 황금같은 어야뒤야 땅이다 황금

들판이로구나 어야뒤야 심을써서 어야뒤야 어서잡어당거

라 어야뒤야 돌을 쌓아라 어야뒤야 황금같은 어야뒤야 신
천지 열린다 어야뒤야 (방둑을 쌓아 올리는 소리) 어야차
받어라 어야 받어라 어야 받어라 어야받어라 이논밭이 어
야받어라 누땅이냐 어야받어라 우리들 땅이로구나   어야
받어라 어서 받어라 어야받어라.

(바랭이네, 이인명이 선창을 하고 코러스들의 노래와 몸짓이 장관을 이루
며 펼쳐진다.)

(그림막21)　　정관평 새로운 경작지를 펼쳐보인다.

　　　　　　　돈있는 사람은 팔자가 좋아 부귀로 잘살지만
　　　　　　　우리는 가진게 없어 바다를 막아 먹고 산다.

　　　　　　　황금들판이다.

(그림막22)　　저녁 강변 주막을 드러낸다.

낮에 힘겹게 언막이를 한 조합원들과 그 가족, 일꾼, 동네사람들, 아이들까
지 모였다.

박중빈　　　종일 언 막느라 욕들 봤구만. 고단하기 허겄지만 마음공부

는 한시도 쉴 수 없응게, 오늘도 한 말씀 드리리다.

(만담)

남방에는 원숭이맹키로 생긴 성성이란 짐승이 사는디, 이 짐승은 힘이 세고 동작이 날래갖고 사람 힘으론 잡지 못한다 안 하요?

그란디 이 성성이란 놈이 술에는 약하단 말시. 그래서 독헌 술을 한 동우 퍼다가 이놈이 잘 댕기는 길목에 놓아두는 기라.

그라믄 이놈이 술을 보고 첨에는 '사람아, 늬가 날 잡으라고 술 갖다놓았구마. 허지만 내넌 안 속네이' 하고 씩 웃으며 지나가는 기라.

그라고 가다가 생각해봉게 술 생각이 나거들랑. 이놈이 생각허기를 '쪼까만 묵으먼 벨일이야 있을라구.'

그리서 돌아와 술을 정말 쪼까만 묵고 가제.

그러나 쬐까 가다가 생각허니께 더 묵고 잡은 기라. '쬐까 더 묵어도 괜찮겠제' 그라고 돌아와 다시 쬐까 더 묵제.

그렇게 또 와서 묵고 또 다시 묵고 ….

저그 바랭이네! 이 놈이 그렇게 몇 번이나 묵었을 것 같소잉?

바랭이네   나가 알간디요? 그냥 야그나 허소이. 하하하 ….

박중빈   나도 몇 번인지는 모르지만 언제 끝나는 줄은 알제!

바로 동우가 바닥이 나야 끝나는 기라.

7장. 혈인법인상

(자막)   옥녀봉 구간도실

(그림막23)   옥녀봉 구간도실

제자1   지금 한양에서 봉기한 만세운동이 온 나라 방방곡곡으로 퍼

져나가고 있고 엊그제는 영광 장에서도 수백 군중이 모여 만

세를 불렀다 하는디, 당신님은 그 일을 어쯔구 생각한다요?

박중빈   만세 소리는 묵은 시대인 선천을 장사지내고, 새 시대인 후

천의 도래를 재촉하는 개벽의 상두소리요.

그러나 우리는 지금 바쁘요. 앞으로 우리가 힘쓸 바는 정신

개벽이니, 자, 인자부터 매월 삼육일 밤마다 목욕재계하고

기도를 시작헙시다.

팔괘 방우에 따라 구수산 봉우리를 하나씩 정해 줄팅게, 맡

은 방위를 지키도록 하시오.

여러분의 기도가 밤하늘의 불씨가 되어 피어나기를 바라오.

아홉 방위로 앉은 제자들이 회중시계를 놓고 각자의 방위에서 범패 게송

을 낭독한다.

(No14. 나는 솥이 되리라/창작범패)

나는 솥이 되리라.

아주 크고 힘있는 가마솥이 되리라.

돌같이 굳은 낱알이라도 푹푹 삶아서

잘 퍼진 밥이 되도록 하여 만인을 먹이리라.

멀리서 만세소리 총소리 함성이 일어난다. 아홉 제자들 시선이 흐트러지고 기도하는 움직임이 질서를 잃는다.

이재풍   (벌떡 일어선다.) 세상은 지금 천지 개벽 공사 중인디, 우리
는 지금 여그서 뭐들 하고 있는거요!

제자2   우덜도 산에서 은둔만 할 일이 아니라 사명당이나 서산대사
처럼 나라를 위하여 나서야 옳지 않겠습니까?

박중빈   큰 바다 고기를 잡으려는 어부가 몽둥이를 둘러메고 물로
뛰어들면 몇 마리나 잡을 성싶나? 나는 오대양 고기를 오만
년 동안 잡을 큰 그물을 짜고 있는 중이라네.

(자막)   1919년 음 7월 26일 옥녀봉 구간도실

박중빈   우리가 기도를 시작한지 백일이 지났소. 그러나 지금 나으
생각으로는 하늘을 감동시키고 정신 개벽을 이루기에 거리
가 없지 않은 듯 하요.
이는 아즉 나와 여러분들 마음 한가운데 사사로운 감정이
남아 있는 듯 하요.

우리가 진실로 인류와 세계를 위한다고 헐진대, 우리의 정법이 세상에 드러나서 모든 창생이 구원을 받는다면 ….

… 우리의 몸이 죽어 없어지더라도 여한이 없음을 증명해야 허지 않것소.

(도실 안은 찬물을 끼얹은 듯 고요했고, 단원들은 어안이 어벙벙하여 자기들의 귀를 의심한다.)

박중빈 내가 듣자니 서양에서도 야소 씨는 인류의 죄악을 대신해서 십자가에 못 박혀 목숨을 희생했다 하고, 동양에서도 살신성인하여 이적을 나툰 성현들이 많소이다. 여러분이 기왕 시방세계 일체 중생을 위해 한 목숨 바치기로 했을진대, 우리의 공부는 여기서 마치기로 합시다.

여기서 우리가 죽어도 머지않은 장래에 새로운 정법이 다시 세상에 출현하고 도덕 회상이 바로서서 혼란한 인심이 정돈된다면 우리의 죽음은 결코 헛되지 않을 것이오.

….

그러나 생사는 인간 대사라 함부로 할 일이 아니게, 단원 중에 만일 자신 때문이든 가정 때문이든 생명 희생에 조금이라도 남은 한이 있다면 숨기지 말고 말하소. 그런 사람은 생명을 바치지 아니해도 좋소.

단원1 단장이 우리들의 목숨을 요구하고 있음을 의심할 수 없게 되었다.

단원2	나는 이제 세상을 하직해야만 허는가.
단원3	지난 1년간 뼈빠지게 일해 방언을 마치고 수만 평의 농토를 얻었는디 인자 죽는다면 그런 일이 다 헛일이었단 말인가.
단원4	너무 허무하지 않은가. 너무 억울하지 않은가.
단원5	단장을 만나 스승님으로 모시기 전까지 사실 나의 한 몸이야 얼마나 하찮은 존재였는가. 그 누구도 슬퍼하거나 아쉬워할 것이 없는 평범한 인간이었다. 어차피 이 세상에 있으나마나 한 값없는 인생을 살다가 조만간 사라질 몸이라면 이것이 얼마나 깨끗한 죽음이냐.
단원6	저희 같은 미천한 중생들이 대도 정법과 창생 구제를 위하여 미력이나마 목숨을 바칠 수 있다면, 우째 망설임이 있겠습니꺼?
단원7	세상에 한 번 나서 한 번 죽는 것은 정한 이치인디, 조금 일찍 죽고 늦게 죽는 차이 뿐이지라. 내넌 기꺼이 이 한 목숨을 바치겠소.

(단장은 청수 한 동이를 중앙에 떠다 놓고 단원들을 자기 방위에 맞추어 앉게 하고, 회중시계와 단도를 각자 앞에 가지런히 놓게 한다.)

박중빈	인자, 생명의 상징이기도 하고 우리 맑은 성품의 표상이기도 한 정화수 앞에 시계와 단도를 놓고 각자의 희생을 서약하는 증서를 쓰도록 허겠소. 목숨을 내놓음에 여한이 없음

을 다짐 두며 각자 이름 밑에 백지로 지장을 찍도록 허소.

(복판에 쓰인 사무여한 주변으로 빙 둘러가며 단원의 한자 이름이 차례로 적혀 있었다. 이재풍, 이인명, 김성구, 오재겸, 박경문, 박한석, 유성국, 김성섭, 송도군 등으로 돌아가며 지장을 찍었다. 인주 없는 지장이지만 모두들 신중하게 엄지를 눌렀다.)

박중빈	그러면 그렇지! 마침내 혈인이 나왔소. 자, 이것들 보시오! 이는 여러분의 일심 기도가 천의를 감동시킨 결과로 나타난 이적이외다! 음부공사는 판결이 났소! 우리의 일은 반드시 성공이오!
이재풍	여기서 죽을까요? 각자 기도처에 가서 할까요?
박중빈	(짐짓) 모두 행장을 차려 기도처로 가라.

(모두들 침묵 속에 하나, 둘 조용히 걸어 나간다 그 뒷모습을 묵묵히 지켜보던 중빈은 천천히 손을 들어 말한다.)

내가 그대들에게 한 말씀 더 부탁할 것이 있응게 다시들 모이시오!
… 그대들의 마음은 천지신명께 이렇게 전달되었을 것이오. 이미 음부공사가 판결났응께 생명을 희생허지 않아도 되겠소.

제자1	어휴, 죽을 뻔했네.
제자2	나는 죽는 줄 알았어.
제자3	다행이오 이렇게 살아있으니.
제자4	이렇게 살아있으니.
제자5	이렇게 살아있으니.
박중빈	아녀 그대들은 죽었소, 이제 새로 태어난 거라오.

그대들의 전날 이름은 사사로운 이름이었던 바, 그 이름을 가진 사람은 이미 죽어버렸고 지금 이 순간부터 여러분의 몸은 바친 것이라 어떠한 천신만고를 당할지라도 오늘의 사무여한, 죽어서라도 남은 한이 없다. 이 마음을 잊지 마시오.

8장. 봉래제법상

(자막)　　　　1919년 10월 금산사
(그림막24)　　금산사 미륵전 뒤 노전 송대

검은 정자관을 쓰고 당목 중의 적삼을 입은 박중빈.
박중빈은 붓을 중등까지만 풀어 먹물을 가볍게 묻힌 뒤, 방문 중방 위 벽지에다 조심스럽게 동그라미를 그렸다.

박중빈	광선! 무얼 그린 그림인지 아시겠소?

김광선	… 고리 같은디, 그건 멀라고 그리지라우?
박중빈	이게 곧 일원상이라고 부르는 것이오.
김광선	거기에 무슨 뜻이 있습니까?
박중빈	있다마다! 일원상에는 온 우주가 다 들어있고 모든 이치가 다 갚아 있소. 언어도단하고 유무초월한 자리지라, 보기에 원만구족허지 않소?

(자막)	1920년 옆 초당 봉래정사
(그림막25)	봉래정사

박중빈	미래의 불법은 종래의 불교와는 제도가 달라야 하오. 직업을 가지고 세간 생활을 하면서, 일과 공부가 둘이 아니고 생활과 불법이 따로가 아닌 제도가 되어야 하오. 또한 부처님을 믿는 것도 절간에 모신 등상불을 숭배하는 것이 아니라 우주 만유를 다 부처로 보고, 진리 부처님을 항상 모시고 사는 생활이 되어야 헐 것이오. 이런 세상은 법당과 부처가 따로 없어서, 부처의 은혜가 안 미치는 곳이 없는 낙원세계가 될 것이라.
청년1	선생님! 저희들은 독립운동을 하려는 청년들인디, 선생님께서 큰 도인이시란 소문을 듣고 찾아왔습니다. 산 속에 은둔만 하실 일이 아니라 옛날의 사명당이나 서산대사처럼 나라를 위하여 나서는 게 옳지 않겠습니까?

박중빈 큰 바다 고기를 잡으려는 어부가 몽둥이를 둘러메고 물로 뛰어들면 몇 마리나 잡을 성싶나?
나는 오대양 고기를 5만년 동안 잡을 큰 그물을 짜고 있는 중이라네.

박중빈 노인장께선 어딜 가시는 길입니까?

박 주사 네, 실상사 가는 길입니다

박중빈 실상사는 뭔 일로 가신다요?

박 주사 실은 외아들에 며느릴 봤는디. 이것이 시부모를 개떡같이 알아서 무슨 일이나 빗나가고 만다니께요. 실상사 부처님이 영험허시다 항께 거기나 가 빌어 보자고 가는 길이우.

박중빈 참 딱도 하십니다. 두 분은 살아 있는 진짜 부처님을 집에 두고 이 먼길에 뭐 땀시 죽은 부처를 찾아오시능교?

박 주사 그기 먼 말씀이라요? 살아 있는 진짜 부처님이 내 집에 있다니 먼 말이오?

박중빈 아따, 며느리가 두 분께 효하고 불효하는 것이 실상사 부처님 마음대로 되간디요? 그건 집에 있는 며느님 맘에 달린 것이제! 그랑게 며느님이 살아 있는 부처라 이 말이오. 불공에 들일 비용을 가지고 차라리 며느리가 좋아할 물건을 사다주시오. 며느리가 힘들어하는 일은 도와주고 손주를 각별히 이뻐하시오. 그라믄 며느리가 부처님이 될텡게.

박 주사 네! 네! 암만요.

1924년 3월 31일 서울 태평여관

(그림막26) 박사시화

박사시화 저는 팔자가 쎄놔서 영감이랑 16년을 살았어도 일점 혈육을 두지 못했는디, 그나마 영감까지 죽고 낭께 의지할 디가 없어서 혼자 서울로 와 있소. 인자 열매도 없이 시들어 떨어질 꽃이라 무신 희망이 있으까라우? 죽어서나 극락 가게 혀달라고 부처님께 보채면서 살고 있지라.

박중빈 왜 하필 죽어서 극락 갈 생각을 허신다요?

내가 살아서 극락 가는 비법을 갈쳐드릴 텡게 희망을 가지이소.

몸의 꽃은 시들어 떨어졌을랑가 모르겠소만, 마음만은 항상 젊게 도의 꽃을 피우시라고 법명을 사시화로 드리리다.

(자막) 1924년 4월 당주동 임시출장소

(그림막27) 이동진화

박중빈 사람이 세상에 나서 뭔 일을 하고 살아야 사는 보람이 있을까라우?

이경수 실은 제가 여쭙고 싶은 말씀입니다. 저는 인생이 너무나 허무하여 왜 살아야 하는 지도 모르겠습니다.

박중빈 부인! 사람이 세상에 나서 할 일 가운데 으뜸가는 것 두 가지가 있소.

그 하나는 스승을 만나 도를 깨치는 일이고, 둘은 고해 중에
있는 중생을 건지는 일이지라우.

이경수   그게 남자한테는 맞을지 모르나 아녀자한테야 어디 당한 말
씀입니까?

박중빈   남자와 여자를 차별하는 풍속은 곧 깨질 것이오. 도를 깨치
는 데는 남녀가 따로 없고 빈부귀천도 없지요.

동진화라는 법명을 주겠소.

(자막)   1924년 음 5월 2일 전주 한벽루

(그림막28)   조송광

박중빈   당신은 보통 사람과 다른 점이 있어 보이니 어떤 믿음을 가
지고 있능가?

조공진   25년 동안 하느님을 신앙해 온 예수교 장로로소이다.

박중빈   장로님이 그렇게 오래 하느님을 믿었다 하싱께 물어 보겠는
디, 하느님이 어데 계시능교?

조공진   하느님은 전지전능하고 무소부재하사 계시지 않는 곳이 없
소이다.

박중빈   그렇다면 장로님은 늘 하느님을 만날 수도 있고 말씀도 나
누고 허시겠구마이?

조공진   에 … 그게 글씨 … 아직까지는 만난 적도 없고 말을 나눈

적도 없소이다.

박중빈   그렇다면 장로님은 아직 예수의 심통 제자는 못 되는 갑네.

조공진   아니 그럼, 선생은 부처를 믿는다고 들었는디, 선생께선 부처를 만나고 말도 나누어 보았소이까?

박중빈   암만! 부처님뿐 아니라 하느님도 수시로 만나네. 장로님이 공부를 잘해서 예수의 심통 제자만 되면 장로님도 그리 헐 수가 있을 것이여.

조공진   지가 오랫동안 기도하며 지를 지도하실 스승을 기다려 왔는디. 오늘 선생님을 뵈오니께 마음이 흡족해서 당장 제자가 되고 잦으요.

박중빈   송광이라는 법명을 드립니다.
         나의 제자가 된 후라도 하느님을 믿는 마음이 덜해지거나 예수의 가르침을 저버리는 일이 있다면 송광은 나의 참된 제자가 못 되는 것잉게 명심허시요이.

(자막)   1924년 11월 22일 서울 창신동 집.

(그림막29) 이공주

이경자   생일은 병신생 섣달 스무아홉날이고, 이름은 경사 경에 아들 자, 이경자입니다.

박중빈   부인! 부인의 법명은 한가지 공, 구슬 주, 공주라고 합시다. 구슬은 귀한 것이고 누구나 좋아하는 것잉게.

인제는 한 남편의 손바닥에서 노는 구슬이 아니라 만인이 한 가지로 소중히 여기고 사랑하는 구슬이 되도록 허시오.

(자막)   1923년 음 11월 20일 전주임시출장소

(그림막30)   이청춘

이청춘   선상님, 화류계 20년에 저한테 남은 거라곤 지금 사는 집 한 채하고 남에게 도지 주고 있는 논 일흔 마지기가 전부지라. 당장은 어쩔 수 없지만 우선 땅은 바치겠습니다. 한 평도 남 김없이 바칠 것잉게 부디 받아주시소.

박중빈   청춘이의 거룩한 뜻은 참으로 장허요. 그러나 이 자산은 청춘이 평생 번 재산이나 진배 없는디, 나중에 혹시라도 아까운 생각이 나거나 후회가 안 될랑가 깊이 생각해서 결정하도록 하시요.

송적벽   사내들 등골 뽑아 만든 돈, 몸 팔아 챙긴 재물인 줄 뻔히 알면서 그걸 꼭 받아야 하겠습니까?

김광선   맞습니다. 부정한 돈을 멀라고 받겠습니까. 그거 아니면 굶어죽는다 해도 받아선 안 됩니다.

박중빈   오늘은 참말로 내가 기쁘요잉, 평생 모은 재물을 아까운 줄 모르고 흔쾌히 희사허겠다는 사람도 장허지만, 당장 헐벗고 굶주리면서도 우리 회상을 곧게 지키고 부정한 재물을 물리치자는 의기 있는 이들이 이러코 있응게 참으로 기쁜 일이

오. 그러나 한편 생각하면 이렇지라.

정한 재물이냐, 부정한 재물이냐 허는 판단은 그 재물 자체에 있는 것이 아니라 그 재물을 사용하는 사람의 마음에 달린 것이 아니겠소?

이청춘이 그 재물을 번 수단이 떳떳한 것은 아니로되, 공익을 위해서 좋은 목적에 쓰라고 내놓응게 그 마음이 깨끗하요.

아니면 더럽소? 나는 그 재물이 떳떳하게 번 것이 아닝게 더욱더 공익을 위해서 써야 옳다고 보요.

(자막)   1930년 익산총부

(그림막31)   서대원

소태산   무슨 일로 손목을 잘랐느냐? 목공 일을 하다가 실수로 그랬느냐?

서대원   아닙니다. 실은 달마 스님에게 팔을 잘라 바친 혜가 스님의 전례를 본받아 종사님께 독실한 신심을 증명해 보이고 싶어서였습니다.

소태산   혜가가 달마에게 왜 팔을 끊어 바쳤더냐?

서대원   혜가대사가 찾아와 법을 청허는디, 눈이 무릎까지 쌓이도록 밖에서 꼼짝 않고 기다려도 종내 허락하지를 않았지라.

소태산   그래서?

서대원   달마대사가 제자는 몸과 목숨을 아까워하지 않는 사람이어

야 한다고 허자, 혜가대사는 즉각 칼을 뽑아 자기 왼팔을 잘
라 달마께 바치고 비로소 제자가 될 수 있었지라.

소태산   너, 말 잘 했다. 내가 너를 제자로 받아들였느냐, 안 받아들
였느냐?

어디 한번 말해보거라!

서대원   진작부터 제자로 받아주셨지라

소태산   그러면 되얐지, 무얼 또 바래서 팔목을 잘랐더냐?

혜가처럼 내 후계자 자리를 차지하려고 그라느냐?

(벼락치는 듯한 불호령이 복도까지 쩡쩡 울린다.)

서대원   아아…, 아닙니다. 그런 것이 아니지라.

소태산   아니라면? 오, 이제 알겠구나. 니가 농공부원으로 있으면서
일하는 게 싫어서 잘랐구나. 책상머리에 앉아서 붓대나 놀
리며 사무는 보겠는디, 농사일은 힘들고 천해서 못하겠다
이거지?

설마 외팔이한테 힘든 농사일을 시키랴 싶어서 헌 짓이렸
다? 이놈! 바른대로 자백해라!

서대원   종사님, 지가 잘못했습니다. 용서하시지라우.

소태산   대원아! 사람의 몸은 공부와 사업을 하는 데 없지 못한 소중
헌 자본이다. 그 몸을 상해가면서 신(信)을 바친들 그 신을
무엇에 쓰겠느냐. 우리 회상에선 헐 일이 태산같은디 너도
나도 신 바친다고 팔 자르고 다리 자르고 헌다면 우리 회상
엔 병신만 득실거릴 것이니 일은 누가 헌다냐?

9장. 신룡전법상

(자막) 1934년 1934년 시월 스무이틀, 공설운동장 이리축산공진회 주최
소싸움대회

남1 받아라 받아! 으쌰으쌰 힘내라!

남2 우리 부사리 용타! 용타! 요용타! 아이구구 저놈의 소!

남3 옳지, 옳지! 그거다! 와아 와아 와아! 우리 부사리 잘한다!

(북일면을 대표하여 불법연구회에서 출전시킨 누렁소와, 함라에서 내보낸
칡소가 결승을 치르고 있다.)

남1 우리 소 세다!

남2 우리 소 장하다! 잘한다 잘해!

(북을 준비한 회원들은 북채가 부러져라 쳐대고 꽹과리를 가진 회원은 쇠
가 깨어지란 듯 두들겨댄다.)

남3 애개개! 저놈이 저러다 쓰러지겠네.

남4 우메메! 어쩌까나이? 저러다 지면 어쩌까나이?

남5 옳지! 그렇구 말구!

(와! 와! 갑자기 함성이 하늘을 찌른다. 본래 뿔걸이나 뿔치기가 장기인 누렁이가 마침내 장기를 발휘하며 전세를 역전시키려고 마지막 안간힘을 쓰고 있다. 다 이긴 시합이란 듯, 신이 나서 공격의 고삐를 늦추지 않던 칡소가 뜻밖에도 뒤로 밀리기 시작했고, 비실비실하더니 돌아서서 껑충껑충 달아난다. 순식간에 일어난 반전이었다.)

남1   야, 저 칡소 뿔이 빠져부렀어. 왼쪽 뿔 보소!
남2   이겼다! 우승이다!

(불법연구회 회원들은 누가 명령이라도 내린 듯 일제히 만세를 부르며 뛰어나갔다. 펄쩍펄쩍 뛰는 회원들 사이를 열고 누렁이에게 다가간 소태산은 땀에 흥건히 젖은 소의 등을 두들겼다.)

소태산   그래 용타! 니가 일만 잘하는 줄 알았더니 싸움도 잘 하는구나! 비록 미물이나 너도 우리 회상 창립에 한몫을 거들고 있다. 정말 장허다!

(북을 치고 꽹과리를 울리며 총부를 향해 돌아오는 10리 길이 하나도 지루하지 않다.)

(No15. 물욕충만 이세상에 : 불법연구회 회가/재창작곡)
        물욕 충만 이 세상에 위기 따라서

구주이신 대종사님 탄생 하시사

자수 성각 하신 후에 법음 전하니

유연 중생 모여들어 도문 열도다

(자막)　　1935년 4월 27일 익산총부 대각전 준공식

소태산　　근래 어떤 사람들은, 이 세상이 말세가 되어 영영 파멸밖에
는 길이 없다고 하는 모양이나 나는 그렇지 않다고 말하요.
성인의 자취가 끊어진 지 오래고 정의와 도덕이 희미하여
졌응게 말세란 말도 맞기는 하나 이 세상이 이대로 파멸되
지는 않을 것이오. 아니, 돌아오는 세상이야말로 참으로 크
게 문명한 도덕세계일 것이오. 그러므로 지금은 묵은 세상
의 끝이요 새 세상의 처음이 되야 범상한 사람으로서는 시
대의 앞길을 추측하기가 퍽 어려울 것이나, 오는 세상의 문
명을 내다보는 사람으로서야 어찌 든든하지 않겠소?

지금은 물질문명이 세계를 지배하고 있지마는, 오는 세상에
는 위없는 도덕이 굉장히 발전되어 인류의 정신을 문명케
하고 물질문명을 지배할 것이오. 물질문명은 인간을 타락시
키고 도덕 발전에 장애가 되는 것이 아니라 오히려 도덕 발
전에 도움이 될 것이니, 멀지 않은 장래에 물질문명과 도덕
문명이 함께하는 참 문명세계를 보게 될 것잉게. 바로 이를
일러 미륵세계라 하는 것이오.

118

공부 요도 삼학 팔조 제정하시고

인생 요도 사은 사요 밝혀내시니

미묘하온 자비 바람 우주에 불고

찬란스런 공덕 꽃이 시방에 피네.

(법열. 소태산의 법열은 말하는 자와 듣는 자, 스승과 제자
가 격리되지 않고 판소리 마당이나 탈춤판처럼 흥겨운 어울
림이 파도처럼 일렁인다. 바랭이네가 쪼구리고 앉아 법문을
듣다가 조용히 일어나 느린 춤을 추기 시작한다. 박사시화
최도화가 일어난다.)

박사시화 미륵 시상 좋다! 영판 좋구나!

최도화 좋구나 좋구나 겁나게 좋구나!

10장. 계미열반상

(자막) 1935년 여름 익산총부 청하원

(그림막32) 익산총부 이공주의 집 청하원

소태산의 시봉 김형오가 도산 일행을 안내하여 경내에 있는 이공주의 집
청하원에다 소태산과의 면담 자리를 마련한다.

소태산	민족지도자 도산 안창호 선생님의 불법연구회 익산총부 방문을 환영합니다.
안창호	이 근처 보통학교를 방문하는 길에 잠시 들렀으니, 그렇게 환대하지 않아도 좋습니다. 저기 계신 경찰 나으리들 불편할테니 저의 방문에 대해 별스런 의미를 두지 마십시오.
소태산	도산 선생님의 방문은 저희에게 큰 영광이오 힘이 됩니다.
안창호	박 선생과 내가 더 이상 속내를 털어놓고 말을 하다 보면, 많은 불편을 겪을 것이오. 부득이 이렇게 얼굴이나 정답게 보며 이심전심으로 그냥 떠납니다.

(자막)	전북도경

도경국장	서장은 안창호가 불법연구회를 방문한다는 정보를 사전에 알지도 못했단 말인가?
경찰서장	북일면 신룡리에 있는 계문보통학교를 방문한다는 정보만 있었는데 갑자기 불법연구회로 향했습니다. 예고나 사전 통지가 없이 행한 우발적인 방문이어서 어쩔 수가 없었습니다.
도경국장	안창호가 와서 감복하고 간 단체라면 불법연구회를 그대로 두어서는 안된다. 즉각 대책을 강구하라.
경찰서장	하이!
	(이즈미카와 서장은 충직한 조선인 순사 황가봉을 부른다.)
	황가봉! 북일면은 지역이 넓은 데다 불법연구회가 있다. 그

곳에 주재소를 설치하라.

황가봉 하이!

(자막) 1935년 10월 청하원

(그림막33) 청하원에 북일주재소 간판이 걸린다.

이공주 주재소를 세우려면 건물을 따로 짓지 왜 내 집에 주재소를 들이겠다는거요?

황가봉 이 집은 도산 안창호 선생이 소태산과 만난 불령한 장소라 징발되었소.

와, 이 청하원은 화양식 건물로 잘 지은 기와집이라 경찰 주재소로 제격이다 이 말이오. 응접실을 사무실로 사용하고, 방 하나만 내시오.

우리도 잘 방이 잇어야 하니께. 아, 밥값은 내겠소.

이공주 그렇잖아도 한 달 동안 매끼마다 총부 식당에서 밥을 가져다 먹었으니 밥값을 내시오.

황가봉 식비 청구서를 가져 오시오.

이공주 여기 가져 왔소. (집으로 들어가 버린다.)

황가봉 와, 먹은 날 안 먹은 날까지 정확히 따져 기록했군. 겁이 없구만. 뇌물을 갖다 바쳐도 시원찮을텐데, 어디 걸리기만 해봐라. 대가를 톡톡히 치르게 하겠다.

(다시 경찰서) 이어 고등주임 무카이가 구체적인 지시를 내린다.

무카이　　　불법연구회 내사에 있어서 그 요령을 제시하마. 첫째는 남
　　　　　　녀 관계이니 교주를 비롯하여 간부들이 여신도와 음행을 하
　　　　　　는 증거를 잡으면 된다. 둘째는 재산관계니, 신도들에게 재
　　　　　　산 헌납을 강요하거나 공금을 횡령하거나 유용하는 증거를
　　　　　　잡아라. 셋째는 사상관계니, 민족주의나 공산주의 냄새만
　　　　　　풍겨도 옭아넣는 거다.

황가봉　　　잘 알겠습니다.

무카이　　　내일부터 자네는 비밀경찰로서 행동한다. 경찰복장도 입지
　　　　　　말고, 주재소에 가지도 말고, 우리가 가도 인사는 물론, 아
　　　　　　는 체도 할 것 없다. 대신 불법연구회에 들어가서 그 회원이
　　　　　　되어 그들과 모든 행동과 생활을 같이 하면서 은밀히 그 정
　　　　　　체와 내막을 밝혀내는 것이다.

황가봉　　　하이! 분골쇄신, 명을 따르겠습니다.

(자막)　　　1936년 10월 익산총부

소태산　　　어서 오시오, 황순사님!

황가봉　　　종사님! 인자 나는 순사 그만두기로 혔습니다.

소태산　　　아니, 저런! 어쩌다 순사를 그만두셨다요?

황가봉　　　서장이, 내가 불법연구회를 두둔한다고 나무라기에 결단을

내려부렀지라.

소태산   저런! 저런! 그러면 결국 우리 때문에 황 순사님이 희생이 된 셈이니 미안혀서 어쩐다이?

황가봉   정말 나헌테 미안허게 생각한다면 내 부탁 하나 들어주실라요?

소태산   그게 뭔지 말씀만 허시면 들어 드려야지.

황가봉   내가 인자 순사 노릇도 그만두었응게 도나 닦아보려고 허는디 불법연구회에서 나를 좀 받아주시소.

소태산   황 순사님이 아시다시피 우리 회에서는 사람을 가려 받진 않네. 황 순사님 같은 분이야 얼씨구나 환영받을 일이제. 그러나, 황 순사! 그 이름 바꾸어야겠어. 가봉은 못 써! 그 이름을 버리고 새 사람이 되것담은 받아 들이제.

황가봉   종사님, 지가 죽일 놈입니다. 순사를 그만두었다고 한 것은 거짓말이고, 지금까지 비밀경찰이 되야서 은밀히 내사를 혀 왔습니다.

소태산   아, 그랬나? 나는 깜빡 속았네. 이 사람 알고 봉께 무서운 사람이구먼?

황가봉   지송합니다. 인자 참말로 종사님 가르침 따라 마음공부 잘하고 미력이나마 교단 보호에 전력하겠습니다.

소태산   이제부터 두 이, 하늘 천, 이천이라고 혀!

도경에서 보낸 일경 둘이 총부 사무실로 들이닥쳐 금고 및 장부 일체를 압수조사 한다. 총독부 보안과장과 신임 서장 가와무라 마사미, 그 밖에 고등과장을 비롯한 3~4인의 수행인이 남녀 풍기에 관한 결정적 단서를 찾기 위해 숙소를 하나씩 모조리 훑는다.

그러나 희미한 가스등 불빛 아래 수십 명의 남녀가 두 패로 나뉘어 가부좌한 자세로 앉아 선을 하고 있을 뿐이었다. 그들은 침입자에게 곁눈 한 번 안 주고, 미동도 않을 채 한창 숨고르기에 들어가고 있다.

종교담당관   조선 불교를 통합하고 황도불교화하여 내선일체를 실현하지 않으면 안 되겠는데 선생께서 그 일을 맡아주셔야 하겠습니다. 그런 뜻에서 먼저 천황폐하를 알현하도록 하십시오,

소태산   지가 무엇을 알간디요. 백성은 나라에서 시키는 대로만 허면 됭게 지는 따라만 가지라우. 본디 영광 두메 꼬라당에서 뭘 배웠간디요!

종교담당관   그러면 시국 순회강연에 함께하는 것은 어떻습니까.

소태산   지도만 잘혀주시소. 지맹키로 무식한 촌 것이 무얼 안당가요? 지는 시키는 대로만 따라허지라우.

황이천   총독부에서 구내에 설치한 주재소를 밖으로 옮기겠으니, 밖에 세울 건축비 600원을 기부하라는디요.

124

김형오	자그들이 총부에 주재소를 새워놓고 이제 철수할테니 건축비를 내라니 이게 말이되오.
소태산	말이 안 된게 상대허지 말어 그냥 주어 버려라.
송종태	안녕하시오 소태산 어른.
소태산	아이고 고등계 형사부장께서 납시었네요.
송종태	종법사, 나헌테 각시 하나 주소 당신 맏딸은 송도성이헌티 주엇응게. 제자 딸내미들 중에서 이쁜 가시나 하나 뽑아 이 송종태 각시로 주소. 아, 도성이만 송가가 아니라 나도 송가 아닝교.
소태산	내 제자 딸내미들 중에는 이쁜 각시가 없으니 어쩌나.
미와	소태산, 오랜만이오. 오늘 내가 이리 명기 유앵을 데리고 왔으니 여기 술상 좀 차리소.
소태산	어이 정종 좀 구해 오소. 형사부장님 술 시장 좀 들게.
미와	나 혼자 마시면 심심허니 같이 마십시다.
소태산	그러지오 뭐. (내려가서 술상에 같이 앉는다)
유앵	아니 스님도 술을 마십니까?
소태산	과유불급이라 과하게 마시지 않으면 그만이오.
미와	정종 한두 잔은 과하지 않지.
소태산	아이구, 정종 한 되도 나헌테는 과하지 않소. 자, 마십시다.
미와	내가 여그 회가 노래를 들어보니, 천양무궁 만만겁 즐거봅시다 그러던디 천양무궁은 천황폐하만 쓸 수 있는 것인데 이를 불경스럽게 썼으니 천황 모독 아니오.

소태산	그라믄 마, 앞으로 천황무궁 만만겁 즐겨 봅시다 그렇게 부르지오 뭐.
송종태	그 노래 1절에, 구주이신 대종사님 탄생하시사 이러던디, 기독교인들은 예수를 구주라 부르지만, 종법사를 구주라 부르고, 몸을 성체라 하는 것은 또 뭐요? 여그 법회에 와 보면 불상도 없는데 돈 놓고 기도하고 죽지도 않고 살아 생전에 극락 간다고 하니 이게 바로 혹세무민 아니냔 말이오. 여기가 불법을 연구하는 곳이라믄 당연히 부처가 있어야 하는데 부처가 어데있소?
소태산	아, 부처가 잠시 들에 나갔으니 쬐끔 기다리믄 돌아올 것이오,아참, 저기 오는구만요.
송종태	저 것은 들에서 일하다 돌아오는 농부들 아니오. 저들이 어째 부처요?
소태산	예, 우리 불법은 처처불상 사사불공 부처가 따로 없고 불법 아래 모인 중생들은 다 부처라고 가르치지오.
송종태	그라믄, 나도 부처요?
소태산	마음만 먹으면.
미와	아니 아니 그 보다, 저 동그라미, 저기 저 동그란 깃발 좀 보라구. 저게 바로 우리 대일본 제국의 히노마루 일장기 가운데를 도려내고 테두리만 남겨 회기를 만들었으니 국기 모독에 불경죄라 말이시 ….

이때 황이천, 오창건이 곱사춤을 추며 좌중을 웃긴다. 유허일이 여장을 하고 각시춤을 춘다. 그제서야 미와, 송종태, 유앵이 손뼉을 치며 같이 곱사춤 각시춤을 추면서 논다. 소태산 슬그머니 일어서서 나온다.

김형오   저것들을 그냥 패 쥑이고 내가 죽으면 되지라.

소태산   가만 있어, 욕을 하면 욕 먹고 때리면 맞아주고 바보처럼 죽어 살라고 안 혔냐. 나도 이렇게 천하 농판같이 사는디, 니들이 들고 일어나서 쓰것냐. 아무래도 내가 여기 오래 머무를 수 없을 것 같어, 나가 떠나야 그나마 애써 쌓은 공부를 유지할 수 있지 안컷는가.

제자1   (갑자기 무서운 생각이 들어) 종사님이 우리를 두고 대체 어디를 간다고 그라십니까?

소태산   (짐짓) 아따, 놀래라, 이놈아 내가 천황 만나러 갈란다. 일본 사람들이 하도 징하게 우리를 못살게 구니까, 우리 불법연구회 해체하지 말고 잘 봐 달라고 부탁하러 갈란다 왜.

황이천   잘 생각 하셨습니다. 그렇잖아도 경무국에서는 종사님이 언제 천왕 알현 가겠능가, 재촉입니다요.

소태산   까짓거 당장 가지 뭐, 경성지부에 연락해서 국민복에다가 군모까지 한 벌 사 부치라고 혀. 저 사람들 요구대로 국민복 빼 입고 동경 갔다 오자, 초량교당에 연락해서 배편 알아보라고 혀.

(자막) 1940년 10월 부산

박창기 경성에서 옷이 도착했습니다.

소태산 그려, 한번 입어 보자, 야 이거 멋지구나야. 안경도 이리 턱 쓰고나니 나가 완전히 일본 사람 다 되얏구나. 사진 한번 찍 어 부러 겁나게 한번 찍어부라. 앗, 아야, 그란디 이기 뭐야, 눈에 뭣이 들어갓는디. 아이고 아파라. 내눈, 이거 봐라. 눈 알이 벌겋제, 이래 거지고는 일본 못 간다. 이기 분명 안질 인디, 천황 뵈러 갔다가 천황하고 내 눈이 딱 마주치면 그만 천황이 내 눈병에 전염이 될 터인데, 그런 불경이 어딨당가, 내가 증말 우리 불법연구회 잘 봐 달라고 천황 알현하고 싶 은디, 그리 못해 안타깝다고 전북 도경에 전해라, (국민복을 허겁지겁 벗으며) 그랴, 시간이 없다, 어서 떠날 준비를 해 야것다.

박창기 일본에 안 가신다면서 어디를 간다고 그러시오.

(자막) 1941년 1월 28일 익산총부

(No16. 게송) 유는 무로 무는 유로
돌고 돌아 지극하면
유와 무가 구공이나
구공 역시 구족이라

| 소태산 | 옛 도인들은 대게 임종 무렵에야 숨을 헐떡이며 전법 게송을 바쁘게 전했으나 , 나는 미리 그대들에게 내 게송을 전하는 것이오, 그러니 이제부터 미리미리 일들을 준비하시오. |

| (자막) | 1943년 1월 익산총부 |

| 소태산 | 지금꺼정 남자 제자 9인만으로 교단을 운영해 왔는디, 우리는 이미 남녀권리 동일허지 않냐, 그러니까, 일타원 박사시화, 이타원 장적조, 삼타원 최도화, 사타원 이원화, 오타원 이청춘, 육타원 이동진화, 칠타원 정세월, 팔타원 황정신행, 구타원 이공주 모두 교단 운영에 참가하도록 혀라, (이공주에게) 교전 출판은 어떻게 되얏냐? |

| 이공주 | 송도성, 서대원이가 이미 편집을 해서 〈정전〉이라 해서 전북 경찰국에 출원을 했는데 거부당했습니다. 일본어로 책을 내라는 것입니다. 차리리 일본어로 출간하면 안되겄습니까? |

| 소태산 | 안되야! 조선사람 위해 내는 책을 왜 일본말로 혀? 그런 책은 불쏘시개 밖에 안되야. 만일의 경우 이렇게 박해를 받다가 교단이 해체를 당한다면 그 정전 초안을 가지고 산중에 가서 숨어서라도 때를 기다려야제. 어떻게든 뜻을 굽히지 말고 기다리믄 언젠가 길이 열릴것이여 |

소태산　　아, 이제 한시름 놓으니 다시 배가 고프구나. 도화야, 굴젓
　　　　　에 상추쌈 싸서 점심 먹고 싶다. (수라상이 들어온다. 상추
　　　　　쌈을 맛나게 먹는 도중) 네가 여그까지 밥 한끼 제대로 못
　　　　　먹고 살았제. 우리 여기서 겸상하자. (상추쌈을 먹다가 도
　　　　　화에게 한 입 넣어준다.)

제자1　　우편물이 가득 왔습니다.

소태산　　그려, 어디 보자.

　　　　　(우편물을 보고 가려 놓다가 그만 쓰러진다. 난리가 난다.
　　　　　이부자리를 펴서 편하게 비스듬히 눕히고 한의가 들어온다
　　　　　뒤따라 양의가 들어온다.)

소태산　　생각없이 이 의사 저 의사 마구 불러대서야 쓰것느냐?!
　　　　　너그들이 된장국에 아카시아 이파리 넣고 엿밥 먹으면서
　　　　　배곯고 알뜰살뜰 모은 살림인디 내 병 고친다고 다 떨어먹
　　　　　을 작정이냐!
　　　　　나가 노상 안 그라더냐, 금강산에 가서 수도 헌달라!
　　　　　일본 사람들이 하도 극성인게 내가 머리가 뜨거워 더 못
　　　　　있겠다!
　　　　　인자 쪼까 쉬어야제, 암만 너거들이 따라 올라고 해도 못
　　　　　따라와야-

나가 축지법을 쓰면 금방 천리 만리 안 달아나냐-

(자막)   1943년 6월 1일 이리병원

소태산이 황정신행, 송규, 송도성, 박장식 들에 들러싸여 있다.
황이천이 병실 문을 열고 들어선다.

소태산	그려 이천이를 보고 싶었는디 잘 왔어.
황이천	종사님 밖에서 들응게 대단히 위중허시다 하더만 와서 봉께 하나도 안 아픈 것 같으요 꾀병이지라.
소태산	이런 멍청이를 봤나 금방 죽을사람 보고 꾀병이라네.
황이천	금방 죽는다 허시면서 눕지도 않고 앉자 기신 건 또 뭣이지라? 옛날 선승처럼 좌탈 하실라요?
소태산	좌탈? 앉은 채로 죽는다? 그거 요새 세상 유행에는 안 맞어. 나는 그냥 편하게 누어서 죽을란다. 그건 그렇고, 엊그저께 경찰 회의가 잇었담서 무슨 회의였어?
황이천	참, 지독허요, 세상 뜨신다믄서 별걸 다 물어보시오.
소태산	우리 불법연구회 말 안 나왔어?
황이천	별말 없었습니다.
소태산	아이고, 다행이구만 다행이야. … 그럼 됐다.

(No17. 레퀴엠/화엄장엄범패)

솟구치는 울음인 듯 구음인 듯

앞장 서 펄럭이는 일원기와 '일원소태산대종사' 열반 표기

젊은 제자들이 이마에 흰 띠를 두르고 각반을 한 차림으로 상여를 멘다.

남녀의 울음소리가 솟구쳐 오르자 누군가 소리친다.

'울지마라 울지마 통곡을 그칩시다!'

울음소리 고함소리 호루라기 소리가 천천히 정적에 빠지고

장엄예불 레퀴엠이 솟아 오른다. 상여를 힘차게 밀어 부치는

장엄한 음악

펄럭이는 일원상 기

(자막)   소태산 대종사가 일구어낸 불법연구회는 1948년 4월 27일 2대 종

            법사 정산 송규 종사에 의해 원불교로 개칭되어 오늘에 이른다.

창작 악보

- 작곡 최우정

1. 탈이섬의 뱃노래1

136

2. 신묘생 박처화

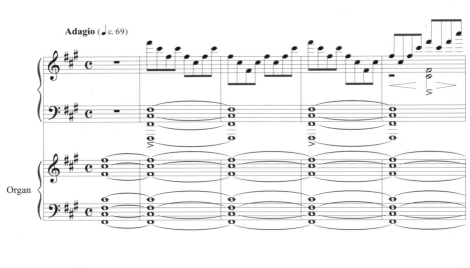

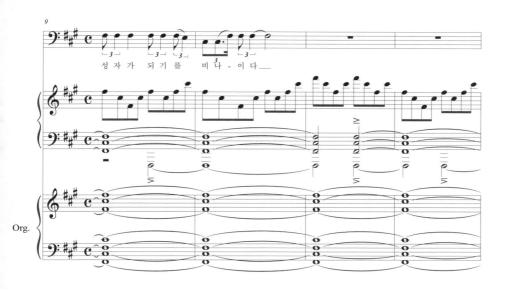

성자가 되기를 비나-이다___

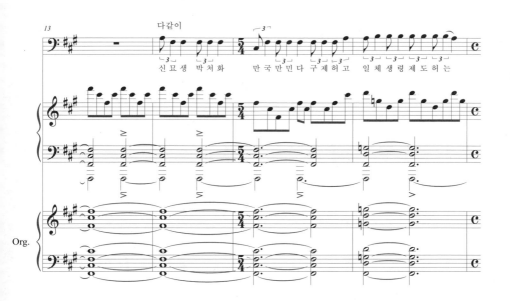

다같이

신묘생 박처화   만국만민다 구제허고   일체생령제도허는

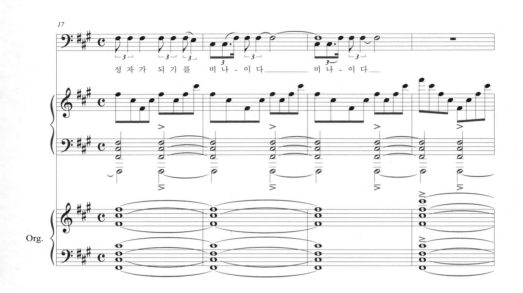

성 자 가 되기 를 비나 - 이다＿＿＿ 비나 - 이다＿

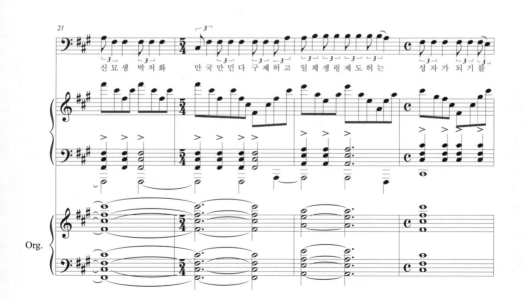

신묘생 박처화 만국만민다 구제허고 일체생령제도허는 성자가 되기를

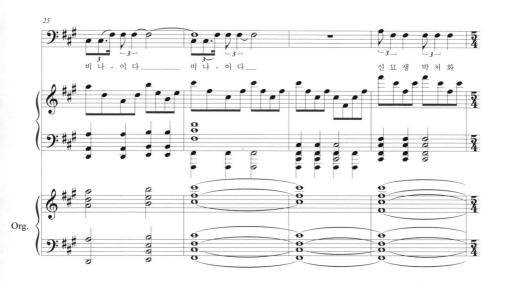

비 나 - 이 다_____ 비 나 - 이 다___   신 묘 생 박 처 화

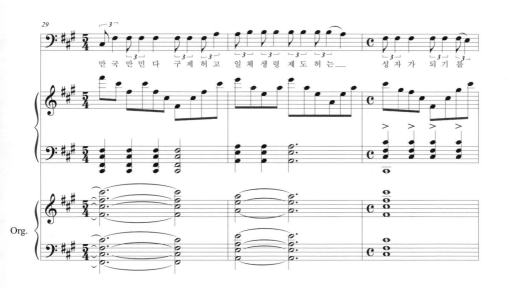

만 국 만 민 다 구 제 허 고 일 체 생 령 제 도 허 는___   성 자 가 되 기 를

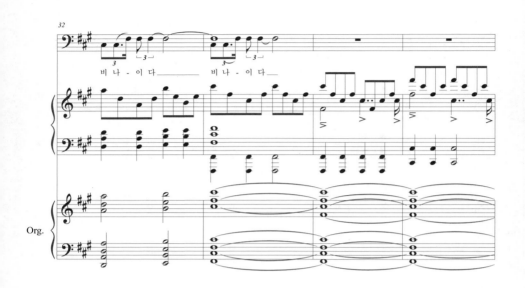

비 나 - 이 다＿＿＿＿ 비 나 - 이 다＿＿＿＿

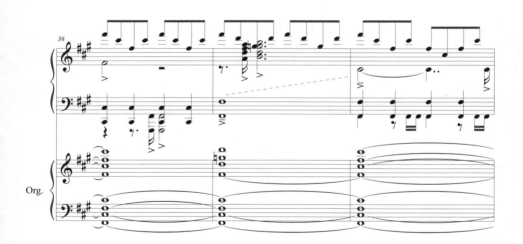

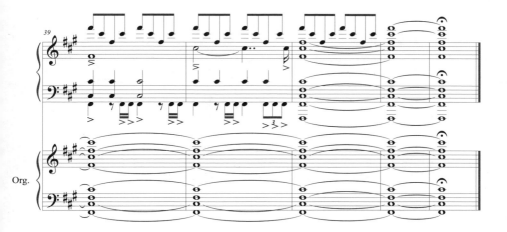

3. 탈이섬의 뱃노래2

146

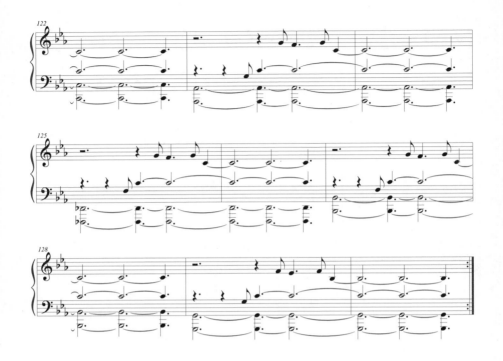

4. 물욕충만 이세상에

물욕충만　　　이세상에　위기 따라서　　　구주이신
공부요도　　　삼학팔조　제정하시고　　　인생요도

대종사님　　탄생 하 시 사　　　자수성각　　　하신후에
사은사요　밝혀 내 시 니　　　미묘하온　　　자비바람

법을전하니　　　유연중생　　　모여들어　도문열도 다
우주에불고　　　찬란스런　　　공덕꽃이　사방에피네

5. 나는 솥이 되리라

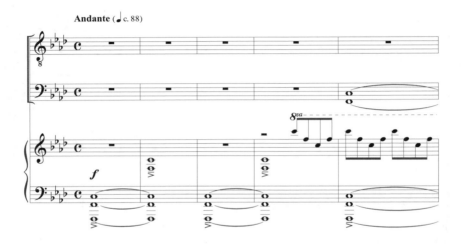

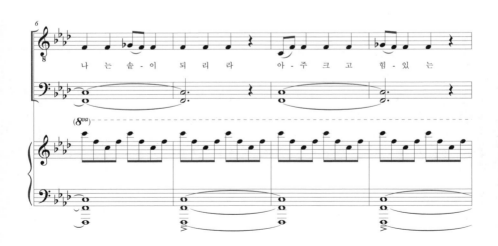

나 는 솥-이 되 리 라   아 - 주 크 고   힘 - 있 는

정가 악보

- 작곡 김민정

1. 게송1

저 하늘은___ 얼마나 높고___ 넓은__ 것 인 가

저 바람은 어디서불고___ 구름은 어떻게 생기는 것일까

2. 게송2

사 람 은 무엇 때문에___ 살 아 가 나 사 람 이 죽 으 면

사 람 은 무엇 때문에___ 살 아 가 나 사 람 이 죽 으 면

어 디 로 가 는 것 일 까 죽은__ 사 람 은___ 다시__

어 디 로 가 는 것 일 까 죽은__ 사 람 은___ 다 시__

살 아 날 수 없 는 가___ 나 는___ 누 구 인 가

살 아 날 수 없 는 가___ 나 는___ 누 구 인 가

3. 초당에~

초 당 에 춘 수 족 허 니

창 외 일 지 라 대 몽 을 수 선 각 고

평 생 아 자지라

4. 우주신 적기적기

Version 1.

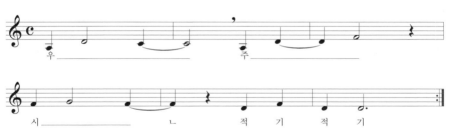

우 주

시 ㄴ 적 기 적 기

Version 2.

우 주 신 적 기 적 기 시 방 신 접 기 접 기

우 주 신 적 기 적 기 시 방 신 접 기 접 기

5. 게송시21 청풍월상시

청 푸 - ㅇ 워르사 - ㅇ 시 - 에

마 - ㄴ사 - ㅇ 자연며 - ㅇ 이로다

6. 맑은 바람이~

맑은바람이 구름을걸어간후 동산에보름달이__ 둥실__

떠오르매__ 어둠에 싸였던___ 삼라만상이 절로__

환하게 드러나는__ 격이로구나

7. 게송시31 유는 무로~

유 - 는 무 - 로 무 - 는 유 - 로 돌고 돌 아 지그 - ㄱ허면

유와 무가 구고 - ㅇ이나 구고 - ㅇ역시 구족 - 이라